CHARLES BUK[...] em Andernach, Alem[...] americano e de uma jovem ale[...] anos de idade, foi levado aos Estados Unidos pelos pais. Criou-se em meio à pobreza de Los Angeles, cidade onde morou por cinquenta anos, escrevendo e embriagando-se. Publicou seu primeiro conto em 1944, aos 24 anos de idade, e somente aos 35 anos começou a publicar poesias. Foi internado diversas vezes com crises de hemorragia e outras disfunções geradas pelo abuso do álcool e do cigarro. Durante a sua vida, ganhou certa notoriedade com contos publicados pelos jornais alternativos *Open City* e *Nola Express*, mas precisou buscar outros meios de sustento: trabalhou catorze anos nos Correios. Casou, teve uma filha e se separou. É considerado o último escritor "maldito" da literatura norte-americana, uma espécie de autor beat honorário, embora nunca tenha se associado com outros representantes beats, como Jack Kerouac e Allen Ginsberg.

Sua literatura é de caráter extremamente autobiográfico, e nela abundam temas e personagens marginais, como prostitutas, sexo, alcoolismo, ressacas, corridas de cavalos, pessoas miseráveis e experiências escatológicas. De estilo extremamente livre e imediatista, na obra de Bukowski não transparecem demasiadas preocupações estruturais. Dotado de um senso de humor ferino, autoirônico e cáustico, ele foi comparado a Henry Miller, Louis-Ferdinand Céline e Ernest Hemingway.

Ao longo de sua vida, publicou mais de 45 livros de poesia e prosa. São seis os seus romances: *Cartas na rua* (1971), *Factótum* (1975), *Mulheres* (1978), *Misto-quente* (1982), *Hollywood* (1989) e *Pulp* (1994), todos na Coleção L&**PM** POCKET. Em sua obra também se destacam os livros de contos e histórias: *Notas de um velho safado*

(1969), *Erections, Ejaculations, Exhibitions, and General Tales of Ordinary Madness* (1972; publicado em dois volumes em 1983 sob os títulos de *Tales of Ordinary Madness* e *The Most Beautiful Woman in Town*, lançados pela L&PM Editores como *Fabulário geral do delírio cotidiano* e *Crônica de um amor louco*), *Ao sul de lugar nenhum* (1973; L&PM, 2008), *Bring Me Your Love* (1983), *Numa fria* (1983; L&PM, 2003), *There's No Business* (1984) e *Miscelânea Septuagenária* (1990; L&PM, 2014). Seus livros de poesias são mais de trinta, entre os quais *Flower, Fist and Bestial Wail* (1960), *O amor é um cão dos diabos* (1977; L&PM, 2007), *Você fica tão sozinho às vezes que até faz sentido* (1986; L&PM, 2018), sendo que a maioria permanece inédita no Brasil. Várias antologias, como *Textos autobiográficos* (1993; L&PM, 2009), além de livros de poemas, cartas e histórias reunindo sua obra foram publicados postumamente, tais quais *O capitão saiu para o almoço e os marinheiros tomaram conta do navio* (1998; L&PM, 2003) e *Pedaços de um caderno manchado de vinho* (2008; L&PM, 2010).

Bukowski morreu de pneumonia, decorrente de um tratamento de leucemia, na cidade de San Pedro, Califórnia, no dia 9 de março de 1994, aos 73 anos de idade, pouco depois de terminar *Pulp*.

Charles Bukowski

Ao SUL De LUGaR NeNHUM
histórias da vida subterrânea

Tradução de Pedro Gonzaga

www.lpm.com.br

L&PM POCKET

Coleção **L&PM** POCKET, vol. 895

Texto de acordo com a nova ortografia.

Título original: *South of No North*
Este livro foi publicado pela L&PM Editores, em formato 14x21cm, em 2008
Primeira edição na Coleção **L&PM** POCKET: agosto de 2010
Esta reimpressão: março de 2019

Capa: Marco Cena
Tradução: Pedro Gonzaga
Revisão: Bianca Pasqualini, Patrícia Rocha e Fernanda Onzi Cavagnoli

CIP-Brasil. Catalogação na Fonte
Sindicato Nacional dos Editores de Livros, RJ

B949s

Bukowski, Charles, 1920-1994
  Ao sul de lugar nenhum : histórias da vida subterrânea / Charles Bukowski ; tradução de Pedro Gonzaga. – Porto Alegre, RS: L&PM, 2019.
  240p. – (L&PM POCKET; v. 895)
  Tradução de: *South of No North*

  ISBN 978-85-254-2067-1

  1. Conto americano. I. Gonzaga, Pedro. II. Título. III. Série.

10-3791.	CDD: 813
	CDU: 821.111(73)-3

© by Charles Bukowski, 2006

Todos os direitos desta edição reservados a L&PM Editores
Rua Comendador Coruja, 314, loja 9 – Floresta – 90220-180
Porto Alegre – RS – Brasil / Fone: 51.3225.5777

PEDIDOS & DEPTO. COMERCIAL: vendas@lpm.com.br
FALE CONOSCO: info@lpm.com.br
www.lpm.com.br

Impresso no Brasil
Verão de 2019

para Ann Menebroker

Sumário

Solidão 9
Trepando com aquela cortina 16
Você e a sua cerveja e o quão maravilhoso você é 24
Nenhum caminho para o paraíso 31
Política 37
Amor por $17,50 42
Um par de bêbados 49
Maja Thurup 56
Os assassinos 63
Um homem 71
Classe 77
Pare de olhar para as minhas tetas, senhor 83
Algo sobre uma bandeira vietcongue 88
Você não consegue escrever uma história de amor 93
Lembra de Pearl Harbor? 98
Pittsburgh Phill & Cia. 104
Dr. Nazi 112
Cristo de patins 119
Um despachante de nariz vermelho 127
O diabo estava cheio de tesão 136
Colhões 145
Matador 152
Foi isso que matou Dylan Thomas 157

Sem pescoço e ruim como o inferno..................................163
Como amam os mortos 172
Todos os cus do mundo e também o meu 188
Confissões de um homem suficientemente insano para
    viver com as feras.. 210

Solidão

Edna estava caminhando pela rua com sua sacola de compras quando passou pelo carro. Havia um cartaz na janela lateral:

PROCURA-SE MULHER

Ela parou. Havia um grande pedaço de papelão grudado na janela com alguma substância. A maior parte estava datilografada. De onde estava na calçada, Edna não conseguia ler o aviso. Podia apenas ver as letras graúdas:

PROCURA-SE MULHER

Era um carro novo e caro. Edna deu um passo sobre a grama para ler a parte datilografada:

> Homem, 49 anos. Divorciado. Procura mulher para casamento. Deve ter entre 35 e 44 anos. Gosta de televisão e películas cinematográficas. Boa comida. Sou especialista em custos de produção, com estabilidade no emprego. Dinheiro no banco. Gosto de mulheres acima do peso.

Edna tinha 37 anos e estava acima do peso. Havia um número de telefone. Também havia três fotos do cavalheiro em busca de uma mulher. Ele parecia bem sério de terno e gravata. Também parecia estúpido e um pouco cruel. E feito de madeira, pensou Edna, feito de madeira.

Edna se afastou, sorrindo um pouco. Sentia também uma espécie de repulsa. Ao chegar ao seu apartamento, ela o tinha esquecido. Apenas algumas horas depois, sentada na banheira, voltou a pensar nele e, dessa vez, pensou em como ele devia estar realmente sozinho para fazer tal coisa:

PROCURA-SE MULHER

Imaginou-o chegando em casa, encontrando as contas de gás e telefone na caixa de correio, despindo-se, tomando um banho, a televisão ligada. Então leria o jornal da tarde. Depois iria para a cozinha preparar sua refeição. De pé, de cuecas, olhando para a frigideira. Pegando sua comida e caminhando para uma mesa, comendo. Bebendo seu café. Então mais televisão. E talvez uma solitária lata de cerveja antes de se deitar. Havia milhões de homens como ele por toda a América.

Edna saiu da banheira, enrolou-se na toalha, vestiu-se e saiu do apartamento. O carro ainda estava lá. Anotou o nome do homem, Joe Lighthill, e o número do telefone. Leu a parte datilografada novamente. "Películas cinematográficas." Que termo estranho para se usar. Agora as pessoas dizem "filmes". *PROCURA-SE MULHER*. O aviso era muito ousado. Estava diante de um sujeito original.

Quando Edna chegou em casa, tomou três xícaras de café antes de discar o número. O telefone chamou quatro vezes.

– Alô? – ele respondeu.
– Sr. Lighthill?
– Sim?
– Vi seu anúncio. Seu anúncio no carro.
– Ah, sim.
– Meu nome é Edna.
– Como vai, Edna?
– Ah, vou bem. Tem feito tanto calor. Esse tempo está demais.
– Sim, nada fácil.
– Bem, sr. Lighthill...

— Me chame apenas de Joe.
— Bem, Joe, rá rá rá, me sinto tão boba. Sabe por que estou telefonando?
— Você viu meu aviso?
— Quero dizer, rá rá rá, o que há de errado com você? Não consegue arranjar uma mulher?
— Acho que não, Edna. Me diga, onde elas estão?
— As mulheres?
— Sim.
— Ah, por toda parte, veja bem.
— Onde? Me diga. Onde?
— Bem, na igreja, veja bem. Há mulheres na igreja.
— Não gosto de igrejas.
— Ah.
— Escute, porque você não vem para cá, Edna?
— Quer dizer para sua casa?
— Sim. Moro em um lugar legal. Podemos tomar um drinque, conversar. Sem pressão.
— Está tarde.
— Não está tão tarde. Escute, você viu meu aviso. Deve estar interessada.
— Bem...
— Você está com medo, é só isso. Está apenas com medo.
— Não, não estou com medo.
— Então venha pra cá, Edna.
— Bem...
— Venha.
— Certo. Vejo você em quinze minutos.

O apartamento ficava no último andar de um condomínio moderno. Número 17. A piscina abaixo refletia as luzes. Edna bateu. A porta se abriu e lá estava o sr. Lighthill: entradas frontais, nariz aquilino com pelos que saíam pelas narinas, a camisa aberta na altura do pescoço.
— Entre, Edna...

Entrou, e a porta se fechou atrás dela. Trazia seu vestido azul de seda. Estava sem meias, de sandálias, e fumando um cigarro.

— Sente-se, vou pegar uma bebida para você.

Era um lugar agradável. Tudo nas cores azul e verde e *muito* limpo. Ela ouviu o sr. Lighthill cantarolar surdamente, enquanto preparava as bebidas, hmmmmmmm, hmmmmmmm, hmmmmmmm... Ele parecia tranquilo e isso a ajudou a descontrair.

O sr. Lighthill — Joe — voltou com as bebidas. Alcançou a Edna a sua e então sentou-se em uma cadeira do outro lado da sala.

— Sim — ele disse —, tem feito muito calor, um calor infernal. Mas tenho ar-condicionado.

— Notei. É muito bom.

— Tome a sua bebida.

— Ah, claro.

Edna tomou um gole. Era uma boa bebida, um pouco forte, mas com um gosto agradável. Observou Joe inclinar a cabeça enquanto bebia. Ele parecia ter rugas profundas em torno do pescoço. E suas calças estavam muito folgadas. Pareciam ser de uma numeração muito maior. Davam a suas pernas uma aparência cômica.

— É um belo vestido, Edna.

— Gosta?

— Oh, sim. Você é bem fornida. O vestido fica muito bem em você, muito bem.

Edna não disse nada. E Joe também não. Apenas permaneceram sentados, olhando um para o outro e bebericando suas bebidas.

Por que ele não fala?, pensou Edna. É ele quem tem de falar. Havia nele algo que lembrava madeira, *sim.* Ela terminou seu drinque.

— Deixe-me preparar outra bebida para você — disse Joe.

— Não, realmente está na minha hora.

– Ora, vamos lá – ele disse –, deixe-me preparar outra bebida. Precisamos de algo para relaxar.

– Tudo bem, mas depois vou embora.

Joe foi até a cozinha com os copos. Ele não estava mais cantarolando. Voltou, alcançou a Edna um copo e sentou-se novamente em sua cadeira do outro lado da sala, em frente à cadeira dela. A bebida estava ainda mais forte.

– Sabe – ele disse –, me dou bem nesses testes sobre sexo das revistas.

Edna tomou um gole de sua bebida e não respondeu.

– Como você se sai nesses testes? – Joe perguntou.

– Nunca fiz nenhum.

– Deveria, sabe, assim você descobre quem e o que você é.

– Acha que esses testes funcionam? Já vi nos jornais. Nunca fiz nenhum, mas já vi – disse Edna.

– Claro que funcionam.

– Talvez eu não seja boa em sexo – disse Edna –, talvez seja por isso que estou sozinha.

Ela bebeu um longo gole de seu copo.

– Cada um de nós está, no final, sozinho – disse Joe.

– Como assim?

– Quero dizer, não importa quão bem a coisa esteja indo no sexo, no amor ou em ambos, chega um dia em que tudo acaba.

– Isso é triste – disse Edna.

– Claro que é. Então chega o dia em que tudo acaba. Ou há uma separação ou a coisa toda se resolve em uma trégua: duas pessoas vivendo juntas sem sentir nada. Acho que ficar sozinho é melhor.

– Você se divorciou da sua esposa, Joe?

– Não. Ela se divorciou de mim.

– O que deu errado?

– Orgias sexuais.

– Orgias sexuais?

– Veja bem, uma orgia sexual é o lugar mais solitário do mundo. Essas orgias... fiquei com uma sensação de desespero... aqueles caralhos entrando e saindo... me desculpe...

– Tudo bem.

– Aqueles caralhos entrando e saindo, pernas enlaçadas, dedos trabalhando, bocas, todo mundo se agarrando e suando e determinados a fazer a coisa toda... de alguma forma.

– Não sei muito sobre essas coisas, Joe – disse Edna.

– Acho que sem amor, sexo não é nada. As coisas só podem representar alguma coisa quando existe algum sentimento entre os participantes.

– Quer dizer que as pessoas têm que gostar umas das outras?

– Ajuda.

– Imagine que eles se cansem uns dos outros? Imagine que *tenham* que continuar juntos? Por economia? Filhos? Essas coisas?

– Orgias não os manterão juntos.

– E o que manteria?

– Bem, não sei. Talvez o suingue.

– O suingue?

– Você sabe, quando dois casais se conhecem *muito* bem e trocam parceiros. Os sentimentos têm, pelo menos, uma chance. Por exemplo, digamos que eu sempre tenha gostado da esposa de Mike. Gosto dela há meses. Já a observei caminhar pela sala. Gosto dos movimentos dela. Os movimentos me deixaram curioso. Imagino, você sabe, o que vem depois desses movimentos. Já a vi braba, já a vi bêbada, já a vi sóbria. E então, vem o suingue. Você está no quarto com ela, finalmente você a está conhecendo. Há uma chance de algo real. É claro, Mike está com a sua esposa no outro quarto. Você pensa: "Boa sorte, Mike, e espero que você seja tão bom amante quanto eu".

– E isso dá certo?

– Bem, não sei... Suingues podem causar dificuldades... mais tarde. Tudo tem que ser combinado... muito bem combinado, antecipadamente. E então pode ter pessoas que não se conheçam bem o suficiente, não importa quanto tenham conversado.

— Você é um desses, Joe?

— Bem, esse negócio de suingue pode ser bom para alguns... talvez seja bom para muitos. Acho que não daria certo para mim. Sou muito puritano.

Joe terminou sua bebida. Edna bebeu o restante da sua e se levantou.

— Escute, Joe, tenho que ir...

Joe caminhou através da sala na direção dela. Ele parecia um elefante naquelas calças. Ela viu suas orelhas grandes. Então ele a agarrou e começou a beijá-la. Seu mau hálito vencia todas as bebidas. Ele tinha um cheiro muito azedo. Parte de sua boca não estava fazendo contato. Era forte, mas sua força não era pura, sua força claudicava. Ela afastou seu rosto para longe e mesmo assim ele a mantinha presa.

PROCURA-SE MULHER

— Joe, me solta! Você está indo muito rápido, Joe! Me solte!

— Para que você veio aqui, sua puta?

Ele tentou beijá-la novamente e conseguiu. Era horrível. Edna ergueu o joelho. Acertou-o em cheio. Ele se dobrou e caiu no tapete.

— Deus, deus... por que você fez isso? Você tentou me matar...

Ele rolava no chão.

Seu traseiro, ela pensou, ele tinha uma bunda tão *feia*.

Deixou-o rolando no tapete e desceu as escadas correndo. O ar estava limpo lá fora. Ela ouviu pessoas conversando, ouviu seus aparelhos de televisão. Não era uma caminhada muito longa até seu apartamento. Sentiu necessidade de outro banho, livrou-se do seu vestido de seda azul e se lavou. Então saiu da banheira, secou-se com a toalha e ajeitou os rolos em seus cabelos. Decidiu que nunca mais o veria.

Trepando com aquela cortina

Falávamos sobre mulheres, espiávamos suas pernas ao saírem dos carros e as olhávamos pelas janelas à noite, na esperança de ver alguém fodendo, mas nunca víamos ninguém. Uma vez chegamos a pegar um casal na cama e o cara estava malhando a mulher e pensamos que agora veríamos algo, mas ela disse:

– Não, não quero trepar essa noite!

Então voltou-se de costas para ele, enquanto ele acendia um cigarro e nós partíamos em busca de outra janela.

– Filho da puta, nenhuma mulher viraria as costas para mim!

– Nem para mim. Que tipo de homem era aquele?

Éramos três, eu, Baldy e Jimmy. Nosso grande dia era domingo. No domingo, nos encontrávamos na casa de Baldy e tomávamos um táxi até a rua principal. A tarifa era de sete centavos.

Havia duas casas de *variedades* naquele tempo, a Follies e a Burbank. Estávamos apaixonados pelas *strippers* da Burbank e as piadas eram um pouco melhores, então fomos para lá. Havíamos tentado a casa de filmes pornôs, mas os filmes não eram realmente pesados e todos os enredos eram iguais. Uma dupla de rapazes eventualmente embebedava alguma garota pequena e inocente e, antes que se recuperasse da ressaca, acordaria em uma casa de prostituição com uma fila de marinheiros e corcundas batendo em sua porta. Além disso, nesses lugares em que íamos, os mendigos dormiam noite e dia, mijavam no chão, bebiam vinho e rolavam por cima uns dos outros. O fedor de mijo e vinho e homicídio era insuportável. Fomos para a Burbank.

– Vocês estão indo a um *show de variedades* hoje, rapazes? – perguntava o avô de Baldy.

– De jeito nenhum, senhor! Temos mais coisas para fazer.

Fomos. Íamos todos os domingos. Íamos cedo pela manhã, muito antes do show, e caminhávamos para cima e para baixo pela Main Street, olhando para dentro dos bares vazios onde as garotas sentavam perto da porta com suas saias levantadas, bailando seus pés sob a luz do sol que deslizava para dentro do bar escuro. As garotas eram bonitas. Mas nós sabíamos. Tínhamos ouvido. Um cara entrava para tomar uma bebida, e cobravam o olho da cara, tanto pela bebida quanto pelas garotas. Além disso, as bebidas das garotas eram diluídas em água. Você dava uma apalpada ou duas e era isso. Se você mostrasse algum dinheiro, o balconista notaria e algum esquema seria armado e logo você estaria fora do bar e sem dinheiro. Nós sabíamos.

Após nossa caminhada pela Main Street, iríamos até a banca de cachorros-quentes e comeríamos nossos cachorros-quentes de oito centavos e nossa grande caneca de cerveja de um níquel. Levantávamos pesos e nossos músculos estavam salientes e usávamos as mangas bem enroladas e tínhamos, todos nós, um maço de cigarros em nossos bolsos do peito. Tínhamos tentado inclusive um curso de Charles Atlas, Tensão Dinâmica, mas levantar pesos parecia ser a maneira mais óbvia e direta.

Enquanto comíamos nossos cachorros-quentes e bebíamos nossa enorme caneca de cerveja, jogávamos *pinball*, um centavo por jogo. Acabamos conhecendo aquela máquina muito bem. Quando se fazia a pontuação máxima, ganhava-se um novo jogo. Tínhamos que fazer escores perfeitos, não tínhamos dinheiro para gastar naquilo.

Franky Roosevelt estava lá, as coisas estavam melhorando, mas ainda vivíamos a depressão e nenhum de nossos pais estava trabalhando. Onde arranjávamos nossa pequena porção de trocados era um mistério, exceto pelo fato de que tínhamos um olhar de águia para qualquer coisa que não estivesse cimentada no chão. Não roubávamos, compartilhávamos. E inventávamos. Tendo pouca ou nenhuma grana, inventávamos pequenos jogos para passar o tempo... um deles era caminhar até a praia e voltar.

Isso normalmente era feito em um dia de verão, e nossos pais nunca reclamavam quando chegávamos em casa tarde demais para a janta. Também não se preocupavam com as bolhas grandes e brilhantes na sola de nossos pés. Era quando notavam como havíamos gastado as solas e os saltos de nossos sapatos que começávamos a ouvir as reclamações. Mandavam-nos para a loja que vendia a um preço baixo saltos e solas e cola com pronta-entrega e a um preço justo.

Era a mesma coisa quando jogávamos futebol americano na rua. Não havia nenhuma verba pública para parques. Éramos tão durões que jogávamos futebol nas ruas durante toda a temporada de futebol, e também durante a de basquete e de *baseball*, até a próxima temporada de futebol. Quando você é derrubado no asfalto, coisas acontecem. A pele se rasga, ossos se quebram, o sangue escorre, mas você se levanta como se nada tivesse acontecido.

Nossos pais nunca se importavam com as feridas e com o sangue e os esfolados; o pecado terrível e imperdoável era rasgar um furo nos joelhos de nossas calças. Só havia, então, duas calças para cada garoto: a para usar todos os dias e a de domingo, e nunca podíamos furar as calças, pois isso mostrava que você era pobre e um idiota e que seus pais eram pobres e idiotas também. Então você aprendia a derrubar um adversário sem cair de joelhos. E o cara que era derrubado aprendia a cair sem encostar os joelhos no chão.

Quando brigávamos, brigávamos por horas e nenhum de nossos pais vinha nos salvar. Acho que era por fingirmos ser tão durões e nunca pedirmos clemência. Mas odiávamos nossos pais, então não podíamos pedir ajuda, eles nos odiavam e quando saíam pela varanda e olhavam-nos casualmente em uma terrível e interminável briga, apenas bocejavam, lançavam uma advertência e voltavam para dentro.

Lutei com um cara que, mais tarde, acabou com um posto muito alto na Marinha dos Estados Unidos. Briguei com ele, um dia, das oito e meia da manhã até depois do pôr do sol. Ninguém nos interrompeu, embora estivéssemos bem em frente ao jardim da casa dele, embaixo de duas enormes árvores com os pardais cagando na gente o dia inteiro.

Foi uma briga dura, foi assim até o fim. Ele era maior, um pouco mais velho e mais pesado, mas eu era mais louco. Paramos por acordo mútuo... Não sei como isso funciona, você tem que passar por isso para entender, mas depois que duas pessoas se batem, uma na outra, por oito ou nove horas, surge uma estranha forma de companheirismo.

No dia seguinte, todo o meu corpo estava azul. Não podia falar por causa dos meus lábios ou me mover sem sentir dor. Estava na cama à espera da morte e minha mãe entrou com a camisa que eu havia vestido durante a luta. Ela a segurou na frente da minha cara, em cima da cama e disse:

– Olha! Tem manchas de sangue nesta camisa! De sangue!

– Desculpa!

– Nunca vou conseguir tirar estas manchas! Nunca!!!

– É o sangue *dele*.

– Não me interessa! É sangue! E não sai!

Domingo era o nosso dia, um dia ameno e tranquilo. Íamos à *Burbank*. Sempre passavam um filme horrível antes. Um filme muito velho, você assistia e esperava. Você estava pensando em garotas. Os três ou quatro caras no poço da orquestra tocavam alto, podiam não tocar muito bem, mas tocavam alto, e aquelas *strippers* finalmente apareciam e pegavam a cortina, a borda da cortina, e pegavam-na como se a cortina fosse, na verdade, um homem e balançavam seus corpos e trepavam com aquela cortina. Então se balançavam e começavam a tirar a roupa. Se você tivesse dinheiro suficiente, ganhava até mesmo um saco de pipoca; se não, para o inferno com a pipoca.

Antes do próximo ato havia um intervalo. Um homenzinho se levantava e dizia:

– Senhoras e senhores, se me derem um minuto de sua atenção...

Ele vendia um pequeno óculo com uma foto no fundo. Na extremidade de vidro de cada um, se você olhasse contra a luz, havia uma imagem belíssima. Isso ele prometia! Custava apenas cinquenta centavos a unidade, um bem para a vida inteira por apenas cinquenta centavos, disponível apenas para os clientes da Burbank e em nenhum outro lugar.

– Basta segurá-lo contra a luz e vocês verão! E muito obrigado, senhoras e senhores, por sua gentil atenção. Agora os lanterninhas passarão pelos corredores próximos a vocês.

Dois vagabundos pé-rapados passavam pelos corredores entre as cadeiras, fedendo a moscatel, cada um carregando um saco com os dispositivos. Nunca vi alguém comprá-los. Imagino, entretanto, que, se você olhasse contra a luz, a figura seria a de uma mulher nua.

A banda recomeçou e as cortinas se abriram e lá estava a linha de coristas, a maioria delas antigas *strippers* envelhecidas, pesadamente maquiadas com rímel e ruge e batom, cílios falsos. Faziam o que podiam para acompanhar a música, mas sempre ficavam um pouco para trás. Mas continuavam. Eu as considerava muito corajosas.

Então vinha um cantor. Era muito mais difícil gostar dele. Cantava aos brados sobre amores arruinados. Não sabia cantar e, quando acabava, abria os braços e curvava a cabeça ao mínimo som de aplausos.

Então vinha o comediante. Ah, esse era bom! Aparecia com um sobretudo velho e marrom, o quepe puxado para baixo até os olhos, relaxado e caminhando como um vagabundo, um vagabundo sem nada para fazer e sem ter para onde ir. Uma garota entraria no palco e seus olhos a seguiriam. Então ele virava para o público e dizia com sua boca desdentada:

– Por Deus! Não me castigue!

Outra garota entrava no palco, e ele ia até ela, colocava sua cara próxima à dela e dizia:

– Sou um velho, passei dos 44, mas quando a cama quebra, termino o serviço no chão.

Isso era o suficiente. Como ríamos! Os jovens e os velhos, como ríamos. E também havia a rotina da mala. Ele está tentando ajudar alguma garota a fechar sua mala. As roupas ficam caindo para fora.

– Não consigo colocar isso pra dentro!
– Assim, deixe eu ajudar!
– Escapou outra vez!
– Espere! Vou ficar em pé aqui em cima!
– Como? Oh *não*, *em pé* não!

A coisa seguia por aí. Ah, ele era engraçado!

Finalmente as primeiras três ou quatro *strippers* voltavam. Cada um de nós tinha a sua preferida e estávamos todos apaixonados. Baldy tinha escolhido uma garota francesa magricela, com asma e olheiras muito escuras. Jimmy gostava da Mulher Tigre (a Tigresa, na verdade). Chamei a atenção de Jimmy para o fato de que a Mulher Tigre definitivamente tinha um peito maior do que o outro. A minha era Rosalie.

Rosalie tinha uma bunda grande e a balançava sem parar, cantando musiquinhas engraçadas e, enquanto caminhava tirando a roupa, falava sobre si mesma e ria. Era a única que realmente gostava do que fazia. Eu estava apaixonado por ela. Muitas vezes pensei em lhe escrever para dizer como ela era maravilhosa, mas, não sei por que, nunca escrevi.

Certa tarde, estávamos esperando pelo táxi depois de um espetáculo, e lá estava a Mulher Tigre esperando por um também. Usava um vestido verde justo e nós ficamos ali parados, olhando para ela.

– É a sua garota, Jimmy, é a Mulher Tigre.
– Cara, como é gostosa! Olha só!
– Vou falar com ela – disse Baldy.
– É a garota do Jimmy.
– Não quero falar com ela – disse Jimmy.

– Vou falar com ela – disse Baldy. Pôs um cigarro na boca, acendeu e caminhou até ela.

– E aí, gata! – sorriu maliciosamente para ela.

A Mulher Tigre não respondeu. Continuou olhando bem em frente, esperando pelo carro.

– Sei quem você é. Vi seu show hoje. Você é muito linda, gata, muito mesmo!

Ela não respondeu.

– Você rebola bem, meu Deus, você realmente sabe rebolar.

Ela continuou olhando diretamente em frente. Baldy estava ali sorrindo para ela feito um idiota.

– Quero meter em você. Quero trepar com você, gata!

Fomos até lá e tiramos Baldy de perto dela. Caminhamos com ele até o fim da quadra.

– Seu idiota, você não tem o direito de falar assim com ela!

– Bem, ela se levanta e rebola, ela fica em pé na frente dos homens e rebola!

– Ela está apenas tentando ganhar uma grana.

– Ela é gostosa, muito gostosa, está querendo!

– Você está louco.

Caminhamos com ele rua abaixo.

Pouco depois disso, comecei a perder o interesse naqueles domingos na Main Street. Suponho que a Follies e a Burbank ainda estejam lá. Claro, a Mulher Tigre e a *stripper* com asma e Rosalie, minha Rosalie, já se foram há muito tempo. Provavelmente mortas. A enorme e balançante bunda de Rosalie está provavelmente morta. E, quando estou na minha vizinhança, passo dirigindo em frente à casa em que vivia e vejo estranhos morando lá. Ainda assim, aqueles domingos eram bons, a maioria dos domingos eram bons, uma pequena luz na escuridão dos dias da depressão, quando nossos pais saíam pelas varandas, desempregados e impotentes, e olhavam-nos enquanto espancávamos uns aos outros pra valer e então voltavam para dentro e ficavam encarando as paredes, com medo de ligar o rádio por causa da conta de luz.

Você e a sua cerveja e o quão maravilhoso você é

Jack entrou e encontrou o maço de cigarros junto à lareira. Ann estava no sofá lendo um exemplar da *Cosmopolitan*. Jack acendeu um cigarro e sentou-se. Faltavam dez minutos para a meia-noite.

– Charley disse para você não fumar – disse Ann, levantando os olhos da revista.

– Mereço um cigarro. Esta noite foi dura.

– Ganhou?

– Não foi unânime, mas ganhei. Benson era um cara duro, muita coragem. Charley disse que Parvinelli é o próximo. Ganhando do Parvinelli, ganhamos o campeonato.

Jack se levantou, foi até a cozinha, voltou com uma garrafa de cerveja.

– Charley me disse pra manter você longe da cerveja – disse Ann enquanto baixava a revista.

– Charley disse isso, Charley disse aquilo... Estou cansado disso. Ganhei a luta. Ganhei dezesseis seguidas, tenho direito a um cigarro e a uma cerveja.

– Tem de manter a forma.

– Não importa. Surro qualquer um deles.

– Você é tão bom... Quando você se embebeda, tenho que ficar ouvindo "como você é bom". É de dar nos nervos.

– Eu sou bom. Dezesseis seguidas, quinze nocautes. Quem é melhor?

Ann não respondeu. Jack levou sua garrafa de cerveja e seu cigarro para o banheiro.

– Você nem me deu um beijo ao chegar. A primeira coisa que você fez foi pegar a sua garrafa de cerveja. Tão bom, certo. Um bom bebedor de cerveja.

Jack não respondeu. Cinco minutos mais tarde, apareceu em pé na porta do banheiro, com as calças e os calções pelos tornozelos.

– Pelo amor de Deus, Ann, não dá pra deixar nem um rolo de papel higiênico aqui?

– Desculpa.

Foi até o armário e levou um rolo para ele. Jack terminou o serviço e saiu. Então terminou sua cerveja e pegou outra.

– Aqui está você, vivendo com o melhor peso médio do mundo e tudo que faz é reclamar. Um monte de garotas gostaria de estar aqui comigo, e tudo que você faz é ficar sentada e reclamar.

– Sei que você é bom, Jack, talvez até seja o melhor, mas você não faz ideia de como é entediante ficar sentada e ouvir você dizer mais e mais uma vez o quão maravilhoso você é.

– Oh, então você está entediada, é isso?

– Sim, porra, você e a sua cerveja e o quão maravilhoso você é.

– Diga o nome de um peso médio que seja melhor. Você nem mesmo vai às minhas lutas.

– Existem outras coisas além de lutar, Jack.

– Como o quê? Passar o dia com essa bunda no sofá lendo *Cosmopolitan*?

– Gosto de exercitar a mente.

– E deveria. Tem muito ainda pra progredir nesse terreno.

– Estou dizendo que existem outras coisas além de lutar.

– Como o quê, por exemplo?

– Bem, arte, música, pintura, coisas desse tipo.

– E você sabe fazer alguma delas?

– Não, mas aprecio.

– Merda, prefiro ser o melhor no que estou fazendo.

– Bom, melhor, o único... Deus, você não consegue apreciar as pessoas pelo que elas são?

– Pelo que elas *são*? O que a maioria delas *é*? Lesmas, sanguessugas, dândis, dedos-duros, cafetões, empregados...

– Você está sempre rebaixando os outros. Nenhum dos seus amigos é bom o suficiente. Você é o fodão!

– Isso mesmo, boneca.

Jack foi até a cozinha e voltou com outra cerveja.

– Você e a sua maldita cerveja!

– É um direito meu. Eles vendem. Eu compro.

– Charley disse...

– Quero que Charley se foda!

– Você é o melhor!

– Isso mesmo. Pelo menos Pattie sabia disso. Ela admitia e se orgulhava. Sabia o que isso custava. Tudo que você faz é reclamar.

– Bem, por que você não volta pra ela? O que está fazendo aqui comigo?

– Era bem nisso que estava pensando.

– Bem, não somos casados, posso ir embora a qualquer hora.

– Isso é o que está nos fodendo. Merda, chego aqui morto de cansado depois de uma luta dura de dez assaltos, e você nem mesmo fica feliz por eu ter vencido. Tudo que você faz é reclamar de mim.

– Escute, Jack, existe mais na vida além de lutar. Quando o conheci, admirei-o pelo que você era.

– Eu era um lutador. Não *existe* nenhuma outra coisa além de lutar. Isso é o que sou: um lutador. Essa é a minha vida e sou bom nisso. O melhor. Noto que você sempre simpatiza com os lutadores de segunda classe... como Toby Jorgenson.

– Toby é muito engraçado. Tem um senso de humor, um senso de humor de verdade. Gosto do Toby.

– Sua marca são nove vitórias, apenas cinco por nocaute e uma derrota. Dou uma surra nele mesmo podre de bêbado.

– E Deus sabe que você fica podre de bêbado frequentemente. Como você acha que me sinto nas festas quando você está caindo de bêbado, rolando no chão, quando não está se gabando pela sala, dizendo pra todo mundo "SOU O MELHOR, O MELHOR, O MELHOR DE TODOS!"? Não acha que isso faz com que eu me sinta um cu?

– Talvez você seja um cu mesmo. Se gosta tanto do Toby, por que não vai ficar com ele?

– Ah, só disse que gostava dele, achei ele *engraçado*, isso não quer dizer que quero ir para a cama com ele.

– Bem, você vai pra cama comigo e diz que sou entediante. Não sei o que diabos você quer.

Ann não respondeu. Jack se levantou, caminhou até o sofá, ergueu a cabeça de Ann e beijou-a, retornou ao seu lugar e se sentou.

– Escute, deixe-me contar sobre essa luta com o Benson. Até você teria ficado orgulhosa de mim. Ele me derruba no primeiro assalto, uma direita perigosa. Levanto e o seguro o resto do assalto. Caio outra vez no segundo assalto e quase não consigo me levantar quando a contagem já estava em oito. Seguro ele outra vez. Uso alguns dos assaltos seguintes para recuperar minhas pernas. Ganho o sexto, o sétimo e o oitavo assaltos, derrubo ele uma vez no nono e duas vezes no décimo. Não acho que era luta para decidir nos pontos. Mas os juízes acharam que era. Venci, mas não foi unânime. Bem, são 45 mil, entende, garota? Quarenta e cinco mil. Sou ótimo. Não dá pra negar. Sou muito bom. Dá pra negar?

Ann não respondeu.

– Vamos, diz que eu sou o melhor.

– Está bem, você é o melhor.

– Bem, começamos a nos entender.

Jack caminhou até ela e a beijou novamente.

– Sinto que sou tão bom. Boxe é uma obra de arte, realmente é. É preciso ter coragem para ser um grande artista e é preciso ter coragem pra ser um bom lutador.

– Tudo bem, Jack.

– Tudo bem, Jack? É tudo que você tem a dizer? Pattie costumava ficar feliz quando eu ganhava. Ficávamos ambos felizes a noite inteira. Você não pode compartilhar algo de bom que eu fiz? Porra, você está apaixonada por mim ou está apaixonada pelos perdedores, aqueles merdas? Acho que você seria mais feliz se eu chegasse aqui como perdedor.

– Quero que você vença, Jack, é só que você põe muita ênfase no que faz...

– Porra, é o meu sustento, minha vida. Me orgulho de ser o melhor. É como voar, é como sair voando pelo céu espancando o sol.

– O que você vai fazer quando não puder mais lutar?

– Porra, vamos ter bastante dinheiro para fazer o que quisermos.

– Menos nos dar bem, talvez.

– Talvez eu possa aprender a ler *Cosmopolitan,* melhorar minha mente.

– Bem, há espaço para melhorias.

– Vai se foder!

– Quê?

– Vai se foder!

– Bem, é algo que você não faz já há algum tempo.

– Alguns caras gostam de foder mulheres que não param de reclamar, eu não gosto.

– Imagino que Pattie não reclamava?

– Todas reclamam, mas você é a campeã.

– Bem, por que não volta para Pattie?

– Você está aqui agora. Só posso hospedar uma puta de cada vez.

– Puta?

– Puta.

Ann se levantou e foi até o armário, pegou sua mala e começou a guardar suas roupas ali. Jack foi até a cozinha e pegou outra garrafa de cerveja. Ann estava chorando, tomada de fúria. Jack sentou com a cerveja e tomou um bom gole. Precisava de um uísque, precisava de uma garrafa de uísque. E de um bom charuto.

– Posso vir pegar o resto das minhas coisas quando você não estiver por aqui.

– Não se preocupe. Mando pra você.

Ela parou junto à porta.

– Bem, imagino que seja o fim – ela disse.

– Creio que sim – respondeu Jack.

Ela fechou a porta e se foi. Procedimento padrão. Jack terminou sua cerveja e foi até o telefone. Discou o número de Pattie. Ela atendeu.

– Pattie?

– Oi, Jack, como tem passado?

– Ganhei uma grande essa noite. Não foi unânime. Tudo que tenho que fazer é passar por cima do Parvinelli e levo o campeonato.

– Vai acabar com a raça deles, Jack. Sei que você consegue.

– O que vai fazer essa noite, Pattie?

– É uma da manhã, Jack. Andou bebendo?

– Um pouco. Estou comemorando.

– E Ann?

– Brigamos. Só ando com uma mulher por vez, você sabe disso, Pattie.

– Jack...

– Quê?

– Estou com um cara.

– Um cara?

– Toby Jorgenson. Ele está no banheiro...

– Oh, sinto muito.

– Também sinto muito, Jack. Eu amava você... talvez ainda ame.

– Merda, vocês mulheres gostam mesmo de jogar essa palavra por aí...

– Sinto muito, Jack.

– Tudo bem.

Ele desligou. Então foi até o armário pegar seu casaco. Vestiu, terminou a cerveja, desceu o elevador e foi até o carro.

Dirigiu pela Normandie a cem quilômetros por hora, parou na loja de bebidas na Hollywood Boulevard. Saiu do carro e entrou na loja. Comprou um pacote de cerveja de seis garrafas Michelob, uma caixa de Alka-Seltzer. Então, no caixa, pediu ao funcionário por uma garrafa de Jack Daniels. Enquanto o funcionário estava somando as compras, um bêbado entrou com dois pacotes de seis cervejas Coors.

– Ei, cara! – ele disse a Jack. – Você não é Jack Backenweld, o lutador?

– Sou – respondeu Jack.

– Cara, vi a sua luta essa noite, Jack, você tem colhões. Você é realmente bom!

– Obrigado, cara – respondeu ao bêbado e então pegou sua sacola de compras e caminhou para o carro. Sentou lá, abriu a tampa do Daniels e tomou um bom trago. Então voltou, dirigiu em alta velocidade no sentido oeste, de volta pela Hollywood, dobrou a esquerda na Normandie e notou uma garota nova e benfeita de corpo cambaleando pela rua. Parou o carro, pegou a garrafa de uísque e mostrou a ela.

– Quer uma carona?

Jack ficou surpreso quando ela entrou.

– Vou ajudar você a beber isso, senhor, mas nada além disso.

– Claro que não – disse Jack.

Desceu a Normandie a sessenta quilômetros por hora, um respeitado cidadão, o terceiro melhor peso médio no *ranking* mundial. Por um momento sentiu vontade de contar para ela com quem estava andando, mas mudou de ideia e estendeu a mão para apalpar um dos joelhos dela.

– Você tem um cigarro, senhor? – ela perguntou.

Ele ofereceu rapidamente um cigarro com a mão, acionou o isqueiro do painel, que saltou para fora, e então acendeu o fogo para ela.

Nenhum caminho para o paraíso

Eu estava sentado em um bar na avenida Western. Era perto da meia-noite e estava metido em uma das minhas habituais confusões. Quero dizer, você sabe, nada dá certo: as mulheres, os trabalhos, a falta de trabalhos, o tempo, os cães. Por fim, você simplesmente senta em uma espécie de estado de transe e espera como se estivesse no banco da parada de ônibus aguardando a morte.

Bem, estava sentado lá e então chega essa mulher com cabelo preto e longo, bom corpo, olhos castanhos e tristes. Não me virei para olhá-la. Ignorei-a, mesmo ela tendo sentado no banco ao lado do meu, quando havia uma dúzia de outros lugares vagos. Na verdade, éramos os únicos no bar, exceto pelo balconista. Ela pediu um vinho seco. Depois me perguntou o que eu estava bebendo.

– Scotch com água.

– Dê-lhe um scotch com água – ela disse ao balconista.

Bem, isso era incomum.

Abriu a bolsa, removeu uma pequena gaiola de arame e tirou algumas pessoas pequenas e as colocou no balcão. Tinham todos aproximadamente dez centímetros de altura e estavam vivos e bem vestidos. Havia quatro deles, dois homens e duas mulheres.

– Fazem desses agora – ela disse. – São muito caros. Custaram quase dois mil dólares cada um quando comprei. Agora já estão chegando aos 2.400 dólares. Não sei como são feitos, mas provavelmente é coisa fora da lei.

As pessoas em miniatura estavam caminhando por cima do balcão. Repentinamente um dos pequenos homens deu um tapa na cara de uma das pequenas mulheres.

– Sua vagabunda – ele disse –, já chega!

– Não, George, você não pode – ela gritou –, eu te amo! Vou me matar! Tenho que ter você!

– Não me importo! – disse o pequeno sujeito e puxou um cigarrinho e o acendeu. – Tenho o direito de viver.

– Se você não a quer – disse o outro sujeitinho –, fico com ela, eu a amo.

– Mas não quero você, Marty. Estou apaixonada pelo George.

– Mas ele é um idiota, Anna, um idiota completo!

– Eu sei, mas o amo de qualquer forma.

O idiotinha caminhou pelo balcão e beijou a outra mulherzinha.

– Estou com um triângulo amoroso em andamento – disse a mulher que havia me pagado uma bebida. – Esses são Marty e George e Anna e Ruthie. George vai se dar mal, muito mal. Marty é meio quadrado.

– Não é triste ver tudo isso? Errr, qual o seu nome?

– Dawn*. É um nome terrível. Mas é o que as mães fazem com suas crianças às vezes.

– O meu é Hank. Mas não é triste...

– Não, não é triste observar isso tudo. Não tive muita sorte com os meus próprios amores, péssima sorte, aliás...

– Passa o mesmo com todos nós.

– Parece que sim. De qualquer forma, comprei essas pessoinhas e agora fico olhando pra elas. E é como ter e não ter esses problemas. Mas fico muito excitada quando começam a fazer amor. É aí que fica difícil.

– São excitantes?

– Muito, muito excitantes. Meu Deus, me deixam louca!

– Por que você não os obriga a fazer sexo? Quero dizer agora. Ficaremos olhando juntos.

– Não se pode forçá-los. Têm de fazer por conta própria.

---

* Alvorada. (N.T.)

– Com que frequência acontece?

– Oh, eles são bem bons. Quatro ou cinco vezes por semana.

Estavam caminhando pelo balcão.

– Escute – disse Marty –, me dê uma chance. Apenas uma chance, Anna.

– Não – disse Anna. – Meu coração pertence ao George. Não pode ser de nenhuma outra maneira.

George estava beijando Ruthie, apalpando seus peitos. Ruthie estava ficando excitada.

– Ruthie está ficando excitada – eu disse a Dawn.

– Está, está mesmo.

Eu também estava ficando. Agarrei Dawn e a beijei.

– Escute – ela disse. – Não gosto que eles façam sexo em público. Vou levá-los para casa e colocá-los para transar.

– Mas aí não poderei olhar.

– Bem, terá que vir comigo.

– Tudo bem – respondi. – Vamos lá.

Acabei minha bebida e saímos juntos. Ela carregava as criaturas em uma pequena gaiola de arame. Entramos no carro dela e colocamos o pessoal entre nós, no banco da frente. Olhei para Dawn. Era realmente jovem e bonita. Parecia ser boa também por dentro. Como podia ter fracassado com os homens? Há tantas maneiras de as coisas saírem erradas. Os quatro pequenos custaram-na oito mil. Tudo isso para se afastar de relacionamentos e na verdade *não* se afastar de relacionamentos.

A casa era perto dos morros, um lugar com uma aparência agradável. Descemos do carro e caminhamos até a porta. Segurei a gaiola com os pequenos enquanto ela abria a porta.

– Ouvi Randy Newman semana passada no The Troubador. – Ele não é ótimo? – perguntou.

– Sim, é ótimo.

Entramos na sala, e Dawn tirou os pequenos da gaiola e os colocou em uma mesinha. Então caminhou até a cozinha, abriu o refrigerador e pegou uma garrafa de vinho. Trouxe dois copos.

– Perdão – ela disse. – Mas você parece um pouco louco. O que você faz?

– Sou escritor.

– E irá escrever sobre isso?

– Ninguém jamais acreditará, mas vou.

– Olha – disse Dawn. – George tirou as calcinhas de Ruthie. Ele está enfiando os dedos nela. Gelo?

– Sim, está fazendo isso. Não, sem gelo. Puro está ótimo.

– Não sei o que acontece – disse Dawn –, mas fico realmente excitada quando os observo. Talvez seja porque são tão pequenos. Realmente me excita.

– Entendo o que quer dizer.

– Olhe, o George está chupando ela.

– É mesmo.

– Olhe pra eles!

– Deus do céu!

Agarrei Dawn. Ficamos ali em pé nos beijando. Enquanto isso, seus olhos iam dos meus para eles e novamente para os meus.

O pequeno Marty e a pequena Anna também estavam olhando.

– Olhe – disse Marty –, eles vão trepar. Nós bem que podíamos trepar também. Até os grandes vão transar. Olhe pra eles!

– Você ouviu isso? – perguntei a Dawn. – Eles disseram que nós vamos trepar. É verdade?

– Espero que sim – disse Dawn.

Levei-a para o sofá e levantei o vestido acima da cintura. Beijei seu pescoço.

– Eu te amo – eu disse.

– Mesmo? Ama?

– Sim, de alguma forma, sim...

– Tudo bem – disse a pequena Anna ao pequeno Marty. – Também podemos trepar, mesmo que eu não ame você.

Eles se abraçaram no meio da mesinha. Eu já tinha tirado as calcinhas de Dawn. Ela gemia. Ruthie gemia. Marty se aproximava de Anna. Estava acontecendo por toda parte. Tive a ideia de que todas as pessoas no mundo estavam trepando. Então esqueci do resto do mundo. De alguma forma fomos para o quarto. Então penetrei Dawn para a longa e lenta cavalgada.

Quando ela saiu do banheiro, eu estava lendo uma história muito idiota na *Playboy*.

– Foi tão bom – ela disse.

– O prazer foi meu – respondi.

Ela voltou para a cama. Pus a revista de lado.

– Acha que daremos certo juntos? – perguntou.

– O que quer dizer?

– Acha que vamos conseguir ficar juntos por algum tempo?

– Não sei. Coisas acontecem. O começo é sempre mais fácil.

Então ouvimos um grito vindo da sala.

– Ai, ai – ela disse.

Saltou da cama e correu para a sala. Segui logo atrás. Quando cheguei lá, ela estava segurando George nas mãos.

– Oh, meu Deus!

– O que aconteceu?

– Foi a Anna!

– O que tem a Anna?

– Cortou fora as bolas dele! George é um eunuco!

– Uau!

– Pegue papel higiênico, rápido! Ele pode sangrar até morrer!

– Esse filho da puta – disse Anna da mesinha –, se não posso ter o George, ninguém mais terá.

– Agora vocês duas são minhas! – disse Marty.

– Não, agora você tem que escolher uma de nós – disse Anna.

– Então, com qual vai ficar? – perguntou Ruthie.

– Amo as duas – disse Marty.

– Parou de sangrar – disse Dawn. – Ele está frio.

Ela embrulhou George em um lenço e colocou sobre a borda da lareira.

– Quero dizer – seguiu Dawn – que se você acha que não daremos certo, não vou insistir.

– Acho que amo você, Dawn.

– Olhe – ela disse. – Marty está abraçando Ruthie!

– Vão trepar?

– Não sei. Parecem excitados.

Dawn pegou Anna e a colorou na gaiola de arame.

– Deixe-me sair daqui! Vou matar os dois! Deixe-me sair daqui!

George gemeu de dentro do lenço sobre a borda. Marty já tirara as calcinhas de Ruthie. Puxei Dawn para perto de mim. Era bonita e jovem e boa por dentro. Eu podia estar apaixonado novamente. Era possível, nos beijamos. Mergulhei fundo em seus olhos. Então emergi e comecei a correr. Eu sabia onde estava. Uma barata e uma águia faziam amor. O tempo era um idiota com um banjo na mão. Continuei correndo. Seu cabelo longo caía sobre meu rosto.

– Vou matar todo mundo! – gritava a pequena Anna. Agitava-se na gaiola de arame às três horas da manhã.

Política

No City College de Los Angeles, logo antes da Segunda Guerra Mundial, eu me fazia de nazista. Mal sabia distinguir Hitler de Hércules, mas não me importava nem um pouco. O negócio é que ficar sentado na sala de aula ouvindo todos aqueles patriotas discursando sobre como deveríamos atravessar o oceano e acabar com tudo aquilo me entediava profundamente. Decidi fazer oposição. Não me dava sequer o trabalho de ler sobre Adolf, simplesmente vomitava qualquer coisa que me parecia maléfica ou insana.

A verdade é que, de fato, eu não tinha nenhuma crença política. Era apenas uma maneira de me libertar daquilo tudo.

Você sabe, algumas vezes, se um homem não acredita no que está fazendo, ele pode fazer um trabalho muito mais interessante, porque ele não está emocionalmente envolvido em sua Causa. Não demorou muito até que todos os garotos altos e loiros formassem A Brigada Abraham Lincoln – para manter as hordas do fascismo fora da Espanha. E então levaram chumbo das tropas treinadas. Alguns fizeram isso pela aventura e pela viagem até a Espanha, mas mesmo assim levaram chumbo na bunda. Não havia em mim nenhuma parte que me atraísse muito, mas gostava da minha bunda e do meu caralho e não queria perder nenhuma parte do corpo nessa confusão.

Eu levantava durante a aula e gritava qualquer coisa que me viesse à cabeça. Normalmente tinha alguma relação com a Raça Superior, o que me parecia ser bem engraçado. Não falava diretamente dos Negros e dos Judeus, porque via que eles eram tão pobres e perdidos quanto eu era. Mas mandei alguns discursos selvagens dentro e fora da sala de aula, e a garrafa de vinho que eu mantinha no meu armário me ajudava. Ficava surpreso ao perceber a quantidade de pessoas que me ouviam e quão poucas entre elas, se é que alguma, ao menos questionava minhas afirmações.

Apenas derramava palavras boca afora e me deliciava ao ver que divertido podia ser o City College de Los Angeles.

– Você vai concorrer a presidente do corpo estudantil, Chinaski?

– Não, porra.

Não queria fazer coisa nenhuma. Eu não ia nem mesmo à academia. Na verdade, a última coisa que eu queria fazer era ir à academia e suar e usar sunguinha e comparar os tamanhos dos paus. Sabia que eu tinha um pau de tamanho médio. Não precisava ir à academia para descobrir isso.

Estávamos com sorte. O colégio decidiu cobrar uma taxa de dois dólares para a matrícula. Decidimos – uns poucos de nós decidiram, para variar – que isso era inconstitucional, então recusamos. E nos mantivemos firmes contra a coisa toda. Permitiram que a gente assistisse às aulas, mas alguns de nossos privilégios foram cortados, entre eles o uso da academia.

Quando chegava a hora da aula de ginástica, ficávamos com roupas civis. O treinador havia recebido ordens de nos fazer caminhar para cima e para baixo pelo campo em uma formação fechada. Essa era a vingança deles. Uma maravilha. Eu não precisava correr ao redor da pista suando a bunda nem ficar tentando arremessar uma bola estúpida de basquete por uma cesta ainda mais estúpida.

Marchávamos para lá e para cá, jovens, os sacos cheios, cheios de loucura, excitados, sem buceta, à beira da guerra. Quanto menos se acreditava na vida, menos se tinha a perder. Eu não tinha muito a perder, eu e o meu caralho mediano.

Marchávamos e compúnhamos músicas obscenas, e os bons garotos americanos do time de futebol ameaçavam nos dar uma surra, mas de alguma forma nunca o faziam.

Provavelmente porque éramos maiores e mais malvados. Para mim, era maravilhoso fingir-me de nazista e em seguida proclamar que meus direitos constitucionais estavam sendo violados.

Às vezes eu me emocionava. Lembro que uma vez, durante a aula, depois de me passar no vinho, os olhos rasos d'água, eu disse:

– Prometo a vocês que essa dificilmente será a última guerra. Tão logo um inimigo caia, de alguma forma outro surgirá. Não há fim nem sentido nisso tudo. Não existe essa coisa de guerra boa ou má.

Em outra ocasião, havia um comunista falando em um palanque erguido em uma área verde ao sul do campus. Era um garoto muito sério com óculos sem armação, espinhas, vestindo um suéter preto com furos nos cotovelos. Fiquei ouvindo o que ele dizia e tinha comigo alguns de meus seguidores. Um deles era um Russo Branco, Zircoff, seu pai ou seu avô foram mortos pelos Vermelhos na Revolução Russa. Ele me mostrou um saco de tomates podres.

– Quando você der a ordem – ele me disse –, começaremos a atirar.

Percebi então que meus seguidores não estavam ouvindo o discurso, ou que, mesmo que estivessem ouvindo, nada do que ele dissesse importaria. Suas mentes estavam decididas. A maioria do mundo estava assim. De repente, ter um pau mediano não parecia ser o pior pecado do mundo.

– Zircoff – eu disse –, deixe os tomates de lado.
– Porra – ele disse. – Queria que fossem granadas.

Perdi o controle dos meus homens naquele dia e fui embora caminhando assim que eles começaram a arremessar seus tomates podres.

Fui informado de que um novo partido de vanguarda estava para se formar. Recebi um endereço em Glendale e fui até lá naquela noite. Sentamo-nos no porão de uma casa grande com nossas garrafas de vinho e nossos caralhos de tamanhos variados.

Havia um palanque e uma mesa com uma bandeira americana bem grande desfraldada na parede de trás. Um garoto americano de aspecto saudável caminhou até o palanque e sugeriu que começássemos saudando a bandeira, jurando-lhe lealdade.

Nunca gostei de jurar lealdade à bandeira. Era aborrecido e idiota demais. Sempre me senti mais confortável jurando lealdade a mim mesmo, mas lá estávamos, e nos levantamos e fizemos a coisa toda. Então, depois, houve uma pequena pausa, e todos se sentaram como que se sentindo levemente molestados.

O americano saudável começou a falar. Reconheci-o como um gordo que sentava na primeira fila na aula de escrita teatral. Nunca confiei nesses tipos. Idiotas. Estritamente idiotas. Ele começou:

– A ameaça comunista deve ser contida. Estamos aqui reunidos para tomar medidas que levem a isso. Daremos passos legais e talvez ilegais para atingirmos nossa meta...

Não me lembro muito do resto. Não me importava muito com a ameaça comunista ou com a ameaça nazista. Queria me embebedar, foder, queria uma boa refeição, cantar diante de um copo de cerveja em um bar sujo e fumar um cigarro. Eu não estava conscientizado. Eu era um tolo, uma peça na engrenagem.

Mais tarde, Zircoff, eu e um ex-seguidor fomos até Westlake Park e alugamos um barco e tentamos pegar um pato para o jantar. Arranjamos um jeito de ficar muito bêbados e não pegamos um pato e descobrimos que não tínhamos dinheiro suficiente com a gente para pagar o aluguel do barco.

Ficamos flutuando pelo lago raso e jogamos roleta russa com a arma de Zircoff e tivemos sorte. Então Zircoff se levantou na bebedeira da madrugada e atirou no fundo do barco. A água começou a entrar e nos apressamos para tentar chegar à margem. A um terço do caminho, o barco afundou e tivemos que sair e molhar nossos rabos para alcançar terra firme. No fim a noite acabou bem e não se poderia dizer que foi perdida.

Banquei o nazista por mais um tempo ainda, sem dar realmente bola para os nazistas, muito menos para os comunistas ou para os americanos. Mas estava perdendo o interesse. Na verdade, desisti pouco antes de Pearl Harbour. A diversão tinha acabado. Sentia que a guerra aconteceria e eu não tinha muita vontade de ser um combatente e também não queria ser um oposicionista conscientizado. Tudo isso era uma merda. Eu era inútil. Eu e meu pau mediano estávamos em apuros.

Sentei na sala de aula sem falar, esperando. Os alunos e os instrutores me alfinetavam. Tinha perdido minha motivação, meu gás, meu combustível. Senti que a coisa toda fugira do meu controle. A coisa aconteceria. Todos os caralhos estavam em apuros.

Minha professora de inglês, uma senhora muito agradável com belas pernas, me pediu, certa vez, para ficar depois da aula.

– O que está acontecendo, Chinaski? – ela perguntou.
– Desisti – eu disse.
– Refere-se à política? – perguntou.
– Sim – respondi.
– Você daria um bom marinheiro – ela disse.
Saí caminhando...

Eu estava sentado com o meu melhor amigo, um fuzileiro naval, em um bar no centro bebendo cerveja quando aconteceu. Um aparelho de rádio estava tocando música, houve uma pausa. Disseram-nos que Pearl Harbour tinha sido bombardeada. Foi anunciado que todos os militares deviam voltar a suas bases. Meu amigo pediu que eu tomasse o ônibus para San Diego com ele, sugerindo que poderia ser a última vez que o veria. Ele estava certo.

Amor por $17,50

O primeiro desejo de Robert – quando começou a pensar nessas coisas – foi esgueirar-se, em uma noite qualquer, para dentro do Museu de Cera e fazer amor com as mulheres de cera. Isso pareceu, entretanto, muito perigoso. Limitou-se a fazer amor com estátuas e manequins em suas fantasias sexuais e viver em seu mundo de fantasia.

Um dia, enquanto esperava no sinal vermelho, olhou a entrada de uma loja. Era uma dessas lojas que vendem de tudo: discos, sofás, livros, trivialidades, lixo. Foi lá que a viu, parada, com um longo vestido vermelho. Usava uns óculos sem armação, tinha boa forma; digna e *sexy* como costumavam ser. Uma gata de classe. Então o sinal mudou para o verde e ele teve que arrancar.

Robert estacionou um quarteirão adiante e voltou caminhando até a loja. Permaneceu do lado de fora, perto da banca de jornais, e a fitou. Até os olhos pareciam reais e a boca era muito impulsiva, só um pouquinho saliente.

Robert entrou na loja e olhou o mostruário de discos. Estava, então, próximo a ela e a olhava de modo furtivo. Não, não as faziam mais dessa forma. Usava até mesmo sapatos de salto alto.

A garota na loja veio até ele.

– Posso ajudar, senhor?

– Estou apenas olhando, moça.

– Se houver algo que queira, pode me chamar.

– Certamente.

Robert foi até o manequim. Não havia uma etiqueta de preço. Imaginou se estaria à venda. Caminhou novamente até o mostruário de discos, escolheu um barato e o comprou da garota.

Na vez seguinte em que visitou a loja, o manequim ainda estava lá. Robert caminhou pela loja, comprou um cinzeiro que era moldado de forma a imitar uma cobra enrolada e depois saiu.

Na terceira vez em que esteve lá, perguntou à garota:
– O manequim está à venda?
– O manequim?
– Sim, o manequim.
– Quer comprá-lo?
– Sim, você vende coisas, não? O manequim está à venda?
– Só um momento, senhor.

A garota foi até o fundo da loja. Uma cortina se abriu e um velho judeu apareceu. Os dois botões de baixo de sua camisa estavam faltando e era possível ver sua barriga peluda. O sujeito parecia suficientemente amigável.
– Você quer comprar o manequim, senhor?
– Sim, está a venda?
– Bem, na verdade não. Sabe, é uma espécie de peça de vitrine, feita de brincadeira.
– Quero comprá-la.
– Bem, vejamos...

O velho judeu foi até o manequim e começou a tocá-lo, o vestido, os braços.
– Vejamos... Acho que posso vender essa... coisa... por $17,50.
– Vou levar.

Robert puxou uma nota de vinte. O vendedor contou o troco.
– Vou sentir falta dela – ele disse. – Às vezes parece ser quase real. Devo embrulhá-la?
– Não, vou levá-la como está.

Robert pegou o manequim e carregou-o até o carro. Deitou-a no banco traseiro. Então entrou e dirigiu até sua casa. Quando chegou lá, por sorte, não parecia haver ninguém por perto e a fez passar pela porta sem ser visto. Colocou-a no centro da sala e a olhou.

– Stella – ele disse. – Stella, sua cadela!

Caminhou até ela e deu-lhe um tapa na cara. Então agarrou sua cabeça e a beijou. Foi um bom beijo. Seu pênis começava a endurecer quando o telefone tocou.

– Alô?

– Robert?

– Sim.

– É o Harry.

– Como vai, Harry?

– Bem. O que você está fazendo?

– Nada.

– Pensei em dar uma chegada aí. Levar algumas cervejas.

– Ok.

Robert desligou o telefone, pegou o manequim e carregou-o até o armário. Empurrou-o para um canto e fechou a porta.

Harry realmente não tinha muito a dizer. Ficava lá sentado com sua lata de cerveja.

– Como está a Laura? – perguntou.

– Ah – disse Robert –, está tudo acabado entre mim e Laura.

– O que aconteceu?

– A eterna mordida da vampira. Sempre em cena. Era implacável. Procurava homens em toda a parte: na loja de conveniência, na rua, em cafés, em qualquer lugar e dava para qualquer um. Não importava quem fosse, desde que fosse homem. Flertou até mesmo com um cara que discou o número errado. Não aguentei mais.

– Está sozinho agora?

– Não, estou com outra. Brenda. Você já a conheceu.

– Ah, claro. Brenda. Ela é legal.

Harry ficou ali bebendo cerveja. Harry nunca teve uma mulher, mas estava sempre falando sobre elas. Havia algo doentio nele. Robert não encorajou a conversa, e Harry logo partiu. Robert foi até o armário e tirou Stella de lá.

– Sua puta de merda! – disse. – Andou me traindo, não é mesmo?

Stella não respondeu. Ficou ali em pé parecendo tranquila e fria. Deu-lhe uma tremenda bofetada. Ainda está pra nascer o dia em que uma mulher traia Bob Wilkenson e fique impune. Deu outro bofetão.

– Sua piranha! Foderia um garoto de quatro anos se ele conseguisse ficar de pau duro, não é mesmo?

Deu outro tapa, então a agarrou e a beijou. Beijou-a mais e mais. Então suas mãos entraram por baixo do vestido. Tinha boas formas, muito boas. Stella o lembrava de uma professora de álgebra do ensino médio. Stella estava sem calcinhas.

– Vagabunda! – disse. – Quem levou suas calcinhas?

Então seu pênis foi pressionado contra a parte frontal dela. Não havia abertura. Mas Robert estava tomado de paixão. Enfiou o pau por entre as coxas. Era liso e apertado. Deu um jeito e seguiu adiante. Por um momento apenas, sentiu-se extremamente tolo, então sua paixão voltou novamente e ele começou a beijar-lhe o pescoço enquanto fazia o serviço.

Robert lavou Stella com um pano de pratos, colocou-a no armário atrás de um sobretudo, fechou a porta e ainda deu um jeito de assistir pela televisão o último tempo de Detroit Lions contra Los Angeles Rams.

O tempo passava e tudo corria bem para Robert. Providenciou algumas melhorias. Comprou para Stella várias calcinhas, uma cinta-liga, meias longas e finas, um adereço de tornozelo.

Também comprou brincos e ficou um tanto chocado ao descobrir que seu amor não possuía orelhas. Sob todo aquele cabelo, não havia orelhas. Mesmo assim, prendeu os brincos com fita adesiva. Mas havia vantagens: não tinha de levá-la para jantar, a festas, a filmes idiotas; todas essas coisas mundanas que significavam tanto para a mulher comum. E havia discussões. Sempre havia, mesmo com um manequim. Ela não era muito falante, mas ele estava certo de que ela, uma vez, lhe disse: "Você é o melhor amante de todos. Aquele velho judeu era um amante fraco. Você ama com a alma, Robert."

Sim, havia vantagens. Ela não era como todas as outras mulheres que ele conhecera. Ela não queria fazer amor em momentos inconvenientes. Ele podia escolher a hora certa. E ela não menstruava. E ele a chupava. Ele cortou um pouco do cabelo da cabeça dela e o colou entre as coxas do manequim.

O relacionamento no começo era sexual, mas gradualmente ele estava se apaixonando por ela, podia sentir que estava acontecendo. Considerou a hipótese de ir a um psiquiatra, então decidiu que não. Afinal de contas, era necessário amar um ser humano real? Nunca durava muito. Havia muitas diferenças entre os sexos, e o que começava como amor, geralmente acabava como guerra.

E também não era preciso deitar na cama com Stella e ouvi-la falar sobre todos os seus antigos amantes. Como Karl tinha um troço tão grande, mas Karl não caía de boca. E como Louie dançava bem, Louie poderia ter feito a vida no *ballet* em vez de vender seguros. E como Marty beijava bem. Ele tinha uma maneira de tocar com a língua. E assim por diante. Que merda. É claro, Stella mencionou o velho judeu. Mas só uma vez.

Robert já estava com Stella há duas semanas quando Brenda ligou.

– Sim, Brenda? – respondeu.

– Robert, você não tem me ligado.

– Ando terrivelmente ocupado, Brenda. Fui promovido a gerente distrital e tive de reorganizar as coisas no escritório.

– É mesmo?

– Sim.

– Robert, algo está errado...
– O que você quer dizer?
– Dá pra notar pela sua voz. Algo está errado. Que diabos está errado, Robert? Há outra mulher?
– Não exatamente.
– O que significa isso, não exatamente?
– Oh, Cristo!
– O que é? O que é? Robert, algo está errado. Vou passar aí pra ver você.
– Não há nada errado, Brenda.
– Seu filho da puta, você não quer me contar! Algo está acontecendo. Irei até aí! Agora!

Brenda desligou, e Robert apanhou Stella e a colocou no armário, bem no fundo, no canto. Pegou o sobretudo do cabide e pendurou sobre Stella. Então voltou, sentou-se e esperou.

Brenda abriu a porta e entrou correndo.

– Muito bem, o que raios está acontecendo? O que é?
– Escute, garota – ele disse –, está tudo bem. Acalme-se.

Brenda era boa de corpo. Seus peitos eram um pouco caídos, mas tinha belas pernas e uma bunda bonita. Seus olhos sempre tinham um aspecto desvairado e perdido. Ele jamais poderia remediar aquele olhar. Às vezes, depois de fazer amor, uma calma temporária enchia seus olhos, mas nunca durava.

– Você ainda nem me beijou!

Robert levantou-se de sua cadeira e beijou Brenda.

– Jesus, isso não foi um beijo! O que está acontecendo? – ela perguntou. – O que está errado?
– Nada, nada mesmo.
– Se você não me contar, eu vou gritar!
– Estou dizendo, não há nada.

Brenda gritou. Caminhou até a janela e gritou. Podia-se ouvi-la por toda a vizinhança. Então ela parou.

– Deus, Brenda, não faça mais isso! Por favor, por favor!

— Vou fazer outra vez! Vou fazer outra vez! Conte o que há de errado, Robert, ou gritarei outra vez!

— Tudo bem — ele disse. — Espere.

Robert foi até o armário, tirou o sobretudo de cima de Stella e a trouxe para fora.

— O que é isso? — perguntou Brenda. — O que é isso?

— Um manequim.

— Um manequim? Você quer dizer que...

— Quero dizer que estou apaixonado por ela.

— Oh, meu Deus! Sério? Por essa coisa? Esse *negócio*?

— Sim.

— Você ama mais essa *coisa* do que a mim? Esse pedaço de celulóide, ou seja lá do que for feita essa merda? Quer dizer que você ama essa coisa mais do que a mim?

— Sim.

— Suponho que a leve pra cama com você? Suponho que faça... com *isso*?

— Sim.

— Ah...

Então Brenda realmente gritou. Ficou ali em pé e gritou. Robert pensou que ela jamais pararia. Então ela pulou no manequim e começou a bater e arranhá-lo. O manequim caiu contra a parede. Brenda correu pela porta, entrou no seu carro e arrancou selvagemente. Bateu na lateral de um carro estacionado, balançou e seguiu dirigindo.

Robert caminhou até Stella. A cabeça quebrara e rolara para baixo de uma cadeira. Havia pedaços de material gredoso no chão. Um braço pendia frouxamente, quebrado, dois fios para fora. Robert sentou-se em uma cadeira. Apenas sentou-se ali. Então se levantou e foi até o banheiro, ficou ali um minuto e voltou. Ficou em pé no corredor e podia ver a cabeça embaixo da cadeira. Começou a soluçar. Era terrível. Não sabia o que fazer. Lembrou-se de como tinha enterrado seu pai e sua mãe. Mas aquilo era diferente. Isso era diferente. Apenas ficou no corredor, chorando e esperando. Os dois olhos de Stella estavam abertos e frios e bonitos. Encaravam-no.

Um par de bêbados

Eu estava na casa dos vinte anos e, embora estivesse bebendo muito e sem comer, ainda era forte. Quero dizer, fisicamente, e isso é uma sorte quando todo o resto não está indo bem. Minha mente estava amotinada contra o meu destino e a minha vida, e a única maneira de acalmá-la era beber e beber e beber. Estava caminhando pela estrada, empoeirada e suja e quente, e creio que era o estado da Califórnia, mas não tenho mais certeza. Era uma região desértica. Estava caminhando ao longo da estrada, minhas meias duras e apodrecidas e fedorentas, os pregos estavam atravessando a sola dos meus sapatos e para dentro dos meus pés e eu colocava papelão nos sapatos: papelão, jornal, qualquer coisa que encontrasse. Os pregos passavam mesmo assim e, ou você arranjava mais papel, ou virava a coisa do outro lado, ou de cabeça para baixo, ou mudava o seu formato.

Um caminhão parou ao meu lado. Ignorei-o e continuei caminhando. O caminhão arrancou e novamente o sujeito dirigia ao meu lado.

– Garoto – o sujeito disse –, você quer um emprego?

– Quem tenho que matar? – perguntei.

– Ninguém – disse o sujeito –, venha, entre.

Dei a volta até o outro lado e quando cheguei lá a porta estava aberta. Pisei no estribo, entrei, fechei a porta e me recostei no assento de couro. Estava fora do sol.

– Quer me chupar? – o sujeito disse. – Ganha cinco pratas.

Dei-lhe um golpe com a direita no estômago, a esquerda em algum lugar entre a orelha e o pescoço, soltei mais uma de direita em direção à boca, e o caminhão saiu da estrada.

Agarrei o volante e o coloquei de volta na pista. Então desliguei o motor e freei. Desci e continuei a caminhar pela estrada. Aproximadamente cinco minutos depois o caminhão estava novamente ao meu lado.

– Garoto – disse o sujeito –, me desculpe. Não quis dizer isso. Não quis dizer que você é veado. Quero dizer, embora você meio que pareça um. Há algo errado em ser gay?

– Acho que se você é um, não há problema.

– Venha – disse o sujeito –, entre. Tenho um emprego realmente honesto para você. Pode conseguir algum dinheiro, mudar de vida.

Subi novamente. Partimos.

– Me desculpe – ele disse –, você tem cara de durão, mas olhe as suas mãos. Mãos de moça.

– Não se preocupe com as minhas mãos – eu disse.

– Bem, é um trabalho duro. Carregando vigas. Já carregou vigas?

– Não.

– É um trabalho duro.

– Já peguei vários desses na vida.

– Ok – disse o sujeito. – Ok.

Seguimos dirigindo sem conversar, o caminhão balançava pra lá e pra cá. Não havia nada além de poeira, poeira e deserto. O sujeito não tinha muita cabeça, não tinha muito de nada. Mas às vezes pessoas insignificantes que permaneciam no mesmo lugar por um longo tempo conseguiam um pequeno prestígio e poder. Ele tinha o caminhão e estava contratando. Às vezes é preciso aguentar essas coisas.

Seguimos andando e havia um velho caminhando pela estrada. Devia estar já nos quarenta anos. Já era velho demais para andar na estrada. Esse sr. Burkhart, ele me disse seu nome, diminuiu a velocidade do caminhão e perguntou ao velho.

– Ei, amigo, quer ganhar alguns trocados?

– Oh, sim, senhor! – disse o velho.

– Mexa-se. Deixe-o entrar – disse o sr. Burkhart.

O velho entrou e ele realmente fedia: de bebida e suor e agonia e morte. Seguimos até que chegamos a um pequeno grupo de prédios. Saímos com Burkhart e caminhamos até uma loja. Havia um sujeito usando uma viseira verde com um monte de borrachas ao redor do pulso esquerdo. Era careca, mas seus braços estavam cobertos com pelos loiros, longos e finos.

– Olá, sr. Burkhart – ele disse –, vejo que o senhor encontrou mais um par de bêbados.

– Aqui está a lista, Jesse – disse o sr. Burkhart, e Jesse caminhou pela loja pegando os produtos. Demorou algum tempo. Então ele juntou o pedido.

– Mais alguma coisa, sr. Burkhart? Duas garrafas de vinho barato?

– Nada de vinho para mim – eu disse.

– Ok – disse o velho –, ficarei com as duas.

– Sairá do seu pagamento – Burkhart disse ao velho.

– Não importa – respondeu –, desconte do salário.

– Tem certeza que não quer uma garrafa? – Burkhart me perguntou.

– Tudo bem – eu disse –, levarei uma.

Tínhamos uma barraca e naquela noite bebemos o vinho e o velho me contou seus problemas. Tinha perdido a esposa. Ainda a amava. Pensava nela o tempo todo. Uma grande mulher. Ele ensinava matemática. Mas perdeu sua esposa. Nunca uma mulher como ela. Blá, blá, blá.

Cristo, quando acordamos o velho estava doente e eu não me sentia muito melhor. O sol estava alto e fomos fazer o nosso trabalho: empilhar dormentes de trilho. Tínhamos que empilhá-los em montes. Os de baixo eram fáceis. Mas, à medida que aumentava, tínhamos que contar. "Um, dois, três" e os atirávamos.

O velho tinha uma bandana amarrada na cabeça, e o resultado da bebedeira destilava de sua cabeça para a bandana, que se encharcava e escurecia. De vez em quando, uma lasca de um dos dormentes cortava a luva apodrecida e perfurava minha mão. Normalmente a dor seria insuportável e eu teria desistido, mas o cansaço anestesiava os sentidos, realmente os anestesiava. Eu ficava apenas brabo quando acontecia: como se quisesse matar alguém, mas, quando olhava ao redor, havia apenas areia e penhascos e o sol forte, amarelo, brilhante, seco e nenhum lugar para ir.

De vez em quando, a empresa ferroviária trocava os dormentes. Deixavam os velhos do lado dos trilhos. Não havia nada de muito errado com os velhos, mas a ferrovia os deixava por ali e Burkhart tinha sujeitos como nós para empilhá-los em montes que ele levava no caminhão e vendia. Imagino que tenham muita utilidade. Em alguns ranchos se podia vê-los fincados no chão, servindo como mourões para as cercas de arame farpado. Suponho que havia outros usos também. Não estava muito interessado.

Era como qualquer outro trabalho impossível, você se cansava e queria pedir demissão e então ficava mais cansado e esquecia de se demitir e os minutos não avançavam, vivia-se para sempre dentro de um minuto, sem esperança, sem saída, preso, muito entorpecido para se demitir e sem nenhum lugar para ir caso se demitisse.

– Garoto, perdi minha esposa. Ela era a mulher mais maravilhosa do mundo. Fico pensando nela. Uma boa mulher é a melhor coisa do planeta.

– É.

– Se ao menos tivéssemos um pouco de vinho.

– Não temos nada de vinho. Temos que esperar até a noite.

– Será que alguém entende os bêbados?

– Só os outros bêbados.

– Você acha que essas lascas nas nossas mãos irão para o coração?

– Sem chance. Nunca teremos essa sorte.

Dois índios vieram e nos observaram. Ficaram nos observando por um longo tempo. Quando o velho e eu nos sentamos em um dormente para fumar um cigarro, um dos índios veio até nós.

– Vocês estão fazendo tudo errado – ele disse.

– Como assim? – perguntei.

– Estão trabalhando no horário mais quente do deserto. O que devem fazer é acordar cedo pela manhã e trabalhar enquanto ainda está fresco.

– Você está certo – eu disse. – Obrigado.

O índio estava certo. Decidi que levantaríamos cedo. Mas nunca conseguíamos. O velho estava sempre enjoado da bebedeira da noite, e eu não conseguia fazê-lo levantar a tempo.

– Mais cinco minutos – ele dizia. – Mais cinco minutos.

Finalmente, um dia, o velho desistiu. Não podia levantar outro dormente. Ficava se desculpando por isso.

– Está tudo bem, velho.

Voltamos para a barraca e esperamos pela noite. O velho falava deitado. Ficava falando de sua ex-esposa. Ouvi-o falar de sua ex-esposa por todo o dia e noite adentro. Então Burkhart chegou.

– Jesus Cristo, vocês não fizeram muito hoje. Estão pensando em viver do que a terra dá?

– Acabou, Burkhart – eu disse –, estamos esperando pelo dinheiro.

– Acho que o melhor é não pagá-los.

– Se você sabe o que é o melhor – eu disse –, então vai pagar.

– Por favor, sr. Burkhart – disse o velho –, por favor, por favor, trabalhamos muito duro, trabalhamos honestamente.

– Burkhart sabe o que fizemos – eu disse. – Ele fez a contagem das pilhas e eu também.

– Setenta e duas pilhas – disse Burkhart.

– Noventa pilhas – eu disse.

– Setenta e seis pilhas – disse Burkhart.

– Noventa pilhas – eu disse.

– Oitenta pilhas – disse Burkhart.

53

– Vendido – eu disse.

Burkhart tirou seu lápis e papel e nos cobrou pelo vinho, pela comida, pelo transporte e pelo alojamento. O velho e eu ganhamos, cada um, dezoito pratas por cinco dias de trabalho. Pegamos a grana. E ganhamos uma carona de graça para a cidade. De graça? Burkhart fodera com a gente direitinho. Mas não podíamos chamar a lei, porque, quando você não tem dinheiro, a lei deixa de funcionar.

– Por Deus – disse o velho –, vou ficar realmente bêbado. Vou ficar bem e bêbado. Você não, garoto?

– Acho que não.

Entramos no único bar na cidade e nos sentamos. O velho pediu um vinho, e eu, uma cerveja. Ele começou a ladainha de sua ex-esposa novamente e eu fui para a outra ponta do bar. Uma garota mexicana desceu pelas escadas e sentou-se ao meu lado. Por que sempre desciam pelas escadas desse jeito, como nos filmes? Eu mesmo me senti como se estivesse em um filme. Paguei-lhe uma cerveja. Ela disse:

– Meu nome é Sherri.

E eu disse:

– Esse nome não é mexicano.

– Não precisa ser.

– Está certo.

No andar de cima, tudo me custou cinco dólares, e ela me lavou antes e depois. Lavou-me em uma bacia pequena e branca na qual se via pintinhos pintados perseguindo uns aos outros ao redor da bacia. Ela, em dez minutos, ganhou o mesmo que eu tinha ganhado em um dia e mais algumas horas. Em termos monetários, parecia mais do que certo que era melhor ter uma buceta do que um caralho.

Quando desci a escada, o velho já estava com a cabeça caída no bar. Já estava bêbado. Não tínhamos comido o dia inteiro e ele não tinha nenhuma resistência. Havia um dólar e algumas moedas perto de sua cabeça. Por um momento pensei em levá-lo comigo, mas eu não conseguia nem mesmo tomar conta de mim. Saí. Estava fresco lá fora e eu caminhei para o norte.

Senti-me mal por deixar o velho lá para os pequenos abutres da cidade. Então imaginei se a esposa do velho pensava nele de vez em quando. Decidi que não ou que, se pensava, provavelmente não era da mesma maneira que ele pensava nela. Por toda a terra rastejavam pessoas tristes e machucadas, como ele. Precisava de um lugar para dormir. A cama em que estive com a garota mexicana fora a primeira cama que vi nas últimas três semanas.

Algumas noites atrás, eu tinha descoberto que, quando esfria, as farpas em minhas mãos latejam. Podia sentir onde cada uma estava. Começou a esfriar. Não posso dizer que odeie o mundo dos homens e das mulheres, mas eu sentia um certo nojo que me separava dos artesãos e dos comerciantes, dos mentirosos e dos amantes, e agora, décadas mais tarde, sinto esse mesmo nojo. É claro, essa é apenas a história de um homem ou a visão de um homem da realidade. Se você continuar lendo, talvez a próxima história seja mais alegre. Espero que sim.

Maja Thurup

Houve ampla cobertura da imprensa e da televisão, e a senhora estava para escrever um livro sobre tudo isso. O nome da senhora era Hester Adams, duas vezes divorciada, dois filhos. Tinha 35 anos, e alguém poderia imaginar que essa seria sua última jogada. As rugas estavam aparecendo, os peitos estavam caindo já há algum tempo, os tornozelos e as panturrilhas estavam engrossando, já havia sinais de uma barriga. A América aprendeu que a beleza reside apenas na juventude, especialmente para a mulher. Mas Hester Adams tinha a sombria beleza da frustração e da perda vindoura; era algo que rastejava por cima dela, a perda vindoura, e dava-lhe alguma coisa sexualmente atrativa, como uma mulher desesperada para quem o tempo está passando enquanto ela continua sentada em um bar cheio de homens. Hester tinha olhado ao redor, visto poucos sinais de ajuda vindos dos homens americanos e entrou em um avião para a América do Sul. Entrou na selva com sua câmera, sua máquina de escrever portátil, seus tornozelos que estão engrossando, sua pele branca e arranjou para si um canibal, um canibal negro: Maja Thurup. Maja Thurup tinha uma cara com um bom aspecto. Seu rosto parecia estar marcado por mil ressacas e mil tragédias. E era verdade: passara por mil ressacas, mas todas as tragédias tinham a mesma origem: Maja Thurup tinha o pau maior do que a média, muito maior do que a média. Nenhuma garota na aldeia o aceitava. Tinha provocado a morte de duas garotas com seu instrumento. Uma tinha sido penetrada pela frente e a outra por trás. Não fazia diferença.

Maja era um homem solitário que bebia e pensava em sua solidão até que Hester Adams chegou com um guia e sua pele branca e uma câmera. Depois das apresentações formais e algumas bebidas perto do fogo, Hester tinha entrado na cabana de Maja e aguentado tudo o que Maja Thurup podia meter e ainda pediu por mais. Era um milagre para ambos, e os dois se casaram em uma cerimônia tribal de três dias, durante a qual homens capturados de tribos inimigas eram assados e comidos em meio a danças, encantamentos e embriaguez. Foi depois da cerimônia, depois que as ressacas passaram, que os problemas começaram. O pajé, notando que Hester não partilhara da carne assada do homem da tribo inimiga (decorada com abacaxi, azeitona e nozes), anunciou para todos que não se tratava de uma deusa branca, mas uma das filhas de um deus mau chamado Ritikan. (Séculos atrás, Ritikan tinha sido expulso do céu tribal por se recusar a comer qualquer coisa além de vegetais, frutas e nozes.) O anúncio causou dissensão na tribo, e dois amigos de Maja Thurup foram imediatamente assassinados por terem sugerido que a habilidade de Hester de lidar com todo o tamanho do pau de Maja era em si um milagre e o fato de que ela não ingeria outras formas de carne humana poderia ser perdoado, pelo menos temporariamente.

Hester e Maja fugiram para a América, para North Hollywood para ser mais preciso, onde Hester deu início aos procedimentos para tornar Maja Thurup um cidadão americano. Sendo uma antiga professora de colégio, Hester começou a instruir Maja no uso de roupas e da língua inglesa, a beber cervejas e vinhos da Califórnia, a assistir à televisão e a se alimentar de comidas compradas no Safety Market mais próximo. Maja não apenas via televisão, mas também aparecia nela com Hester, e eles declararam seu amor publicamente. Então voltaram para seu apartamento em North Hollywood e fizeram amor. Depois Maja sentou no meio do tapete com seus livros de gramática inglesa, bebendo cerveja e vinho e cantando cantos nativos e tocando bongô. Hester trabalhava em seu livro sobre Maja e Hester. Uma grande editora estava esperando. Tudo que Hester precisava fazer era escrever.

Certa manhã, eu estava na cama lá pelas oito horas. No dia anterior eu perdera quarenta dólares em Santa Anita, minhas economias na conta do California Federal estavam se tornando perigosamente baixas e eu não tinha escrito uma história decente em um mês. O telefone tocou. Levantei, pigarreei, tossi e atendi ao telefone.

– Chinaski?
– Sim?
– Aqui é Dan Hudson.

Dan dirigia a revista *Flare* de Chicago. Ele pagava bem. Era o editor e o diretor.

– Olá, Dan, nossa.
– Olha, tenho algo para você.
– Claro, Dan. O que é?
– Quero que você entreviste uma puta que casou com um canibal. Torne o sexo GRANDE. Misture amor com horror, sabe?
– Sei. Tenho feito isso minha vida toda.
– Pago quinhentos dólares se conseguir entregar antes do prazo final, que é 27 de março.
– Dan, por quinhentos dólares consigo fazer do Burt Reynolds uma lésbica.

Dan me passou o endereço e um número de telefone. Levantei, joguei água na cara, tomei dois Alka-Seltezrs, abri uma garrafa de cerveja e telefonei para Hester Adams. Contei-lhe que queria dar publicidade a sua relação com Maja Thurup como uma das maiores histórias de amor do século XX. Para os leitores da revista *Flare*. Afirmei-lhe que isso ajudaria Maja a obter sua cidadania americana. Ela concordou com a entrevista, e marcamos para a primeira hora da tarde.

Era um apartamento no terceiro andar de um prédio sem elevador. Ela abriu a porta. Maja estava sentado no chão, com seu bongô, bebendo uma garrafa de um vinho do Porto direto do gargalo. Estava descalço, vestia calças jeans apertadas e uma camiseta branca com listras pretas, zebrada. Hester estava vestindo uma roupa idêntica. Trouxe-me uma garrafa de cerveja, peguei um cigarro do maço na mesa de café e comecei a entrevista.

– Quando você viu Maja pela primeira vez?

Hester me deu uma data. Também disse a hora com exatidão e o lugar.

– Quando você começou a perceber os primeiros sentimentos de amor por Maja? Quais foram exatamente as circunstâncias que desencadearam a relação?

– Bem – disse Hester –, foi quando...

– Ela me ama quando eu meto o troço nela – disse Maja do tapete.

– Ele aprendeu inglês muito rapidamente, não é mesmo?

– Sim, ele é brilhante.

Maja pegou a garrafa e tomou um bom gole.

– Meto o troço nela, ela dizer "Oh meu deus oh meu deus oh meu deus!" Rá, rá, rá, rá!

– Maja tem um corpo fantástico – ela disse.

– Ela engole também – disse Maja –, ela engole bem. Garganta profunda, rá, rá, rá!

– Amei Maja desde o começo – disse Hester. – Foram seus olhos, seu rosto... tão trágico. E o jeito que ele caminhava. Ele caminha, bem, ele caminha meio que como um tigre.

– Porra – disse Maja –, trepamos e esporreamos, porra, foda, porra. Estou ficando cansado.

Maja bebeu mais um pouco. Ele me olhou.

– Você fode ela. Eu cansei. Ela grande túnel faminto.

– Maja tem um senso de humor muito peculiar – disse Hester. – Isso foi outra coisa que me fez amá-lo ainda mais.

– A única coisa que você gosta em mim – disse Maja – é o meu caralho poste telefônico.

– Maja está bebendo desde a manhã – disse Hester –, você terá de perdoá-lo.

– Talvez seja mais adequado que eu volte quando ele estiver melhor.

– Acho que sim.

Hester marcou um novo horário comigo, duas da tarde do dia seguinte.

Tudo corria bem. Eu precisava de fotografias. Conhecia um fotógrafo totalmente arruinado, um tal de Sam Jacoby que era bom e cobraria barato. Levei-o até lá comigo. Era uma tarde ensolarada com apenas uma fina camada de poluição no ar. Subimos e toquei a campainha. Não houve resposta. Toquei a campainha mais uma vez. Maja abriu a porta.

– Hester não está – ele disse. – Foi à loja de conveniências.

– Tínhamos hora marcada para as duas da tarde em ponto. Gostaria de entrar e esperar.

Entramos e sentamos.

– Mim tocar tambor para você – disse Maja.

Ele tocou o tambor e cantou alguns cantos da floresta. Ele era muito bom. Estava bebendo outra garrafa de vinho do Porto. Ainda estava vestindo sua camiseta listrada ao estilo zebra e seus jeans.

– Foder, foder, foder – ele disse. – É só o que ela quer. Ela me deixa louco.

– Sente falta da floresta, Maja?

– Você não caga contra a corrente, paizinho.

– Mas ela ama você, Maja.

– Rá, rá, rá!

Maja fez outro solo no tambor. Mesmo bêbado ele era bom.

Quando Maja acabou, Sam me perguntou:

– Você acha que ela pode ter uma cerveja na geladeira?

– Pode ser.
– Minha cabeça não está boa. Preciso de uma cerveja.
– Vai lá. Traga duas. Depois compro mais para ela. Eu devia ter trazido algumas.

Sam levantou-se e foi até a cozinha. Ouvi a porta da geladeira se abrindo.

– Estou escrevendo um artigo sobre você e Hester – disse para Maja.
– Mulher buracão. Nunca enche. Como um vulcão.

Ouvi Sam vomitando na cozinha. Ele bebia muito. Sabia que estava de ressaca. Mas ainda assim era um dos melhores fotógrafos em atividade. Então tudo ficou quieto. Sam voltou caminhando. Sentou-se. Não trouxe a cerveja.

– Eu tocar tambor mais uma vez – disse Maja.

Ele tocou novamente. Ainda estava tocando bem. Embora não tão bem como da outra vez. O vinho estava pegando.

– Vamos sair daqui – Sam me disse.
– Tenho que esperar por Hester – respondi.
– Cara, vamos embora – disse Sam.
– Vocês querem um pouco de vinho? – Maja ofereceu.

Levantei e fui até a cozinha buscar uma cerveja. Sam me seguiu. Fui em direção à geladeira.

– *Por favor*, não abra essa porta! – ele disse.

Sam caminhou até a pia e vomitou mais uma vez. Olhei para a porta da geladeira. Não a abri. Quando Sam acabou, eu disse:

– Tudo bem. Vamos embora.

Caminhamos até a sala da frente, onde Maja ainda estava sentado tocando seu bongô.

– Eu tocar tambor mais uma vez – ele disse.
– Não, obrigado, Maja.

Saímos e descemos a escada e ganhamos a rua. Entramos no meu carro. Dei a partida e arranquei. Não sabia o que dizer. Sam não disse nada. Estávamos no bairro comercial. Dirigi até um posto de gasolina e disse ao frentista para

61

encher o tanque com gasolina comum. Sam saiu do carro e foi até um telefone público para ligar para a polícia. Vi Sam sair da cabine telefônica. Paguei pela gasolina. Não consegui minha entrevista. Fiquei sem os meus quinhentos dólares. Esperei enquanto Sam voltava para o carro.

Os assassinos

Harry acabara de sair da estiva e estava descendo a alameda em direção ao Pedro's para tomar uma xícara de café de um níquel. Era muito cedo na manhã, mas lembrou que costumavam abrir às cinco. No Pedro's era possível ficar sentado por algumas horas pagando apenas alguns centavos. Dava para pensar um pouco. Lembrar-se dos erros e dos acertos da vida.

Estavam abertos. A garota mexicana que lhe deu o café olhou-o como se ele fosse um ser humano. A pobrezinha conhecia a vida. Uma boa garota. Bem, uma garota suficientemente boa. Todas significavam problemas. Tudo era sinal de problemas. Lembrou-se de uma afirmação que tinha ouvido em algum lugar: Viver é um problema.

Harry sentou-se em uma das velhas mesas. O café estava bom. Trinta e oito anos de idade e ele estava acabado. Bebeu o café e lembrou onde tinha errado... ou acertado. Simplesmente se cansara... do jogo das seguradoras, dos pequenos escritórios e altas divisórias de vidro, dos clientes, simplesmente cansara de trair sua mulher, de se esfregar com secretárias no elevador e nos corredores, cansara das festas de Natal e das festas de Ano-Novo e dos aniversários, pagamentos de carros novos, móveis, luz, gás, água... todo o complexo sistema de necessidades.

Cansou-se e se demitiu, isso era tudo. O divórcio veio logo e também a bebida e subitamente estava fora de tudo aquilo. Não tinha nada e descobriu que não ter nada também era difícil. Era um outro tipo de fardo. Se ao menos existisse algum caminho mais suave entre esses dois. Parecia que um homem tinha apenas duas escolhas: acotovelar-se no jogo da ambição ou ser um mendigo.

Harry levantou os olhos e viu um homem que também tinha uma xícara de café de um níquel sentando à sua frente. Parecia recém-entrado nos quarenta. Estava mal vestido como Harry. Puxou um cigarro e olhou para Harry enquanto o acendia.

– Como vão as coisas?

– É uma boa pergunta – disse Harry.

– É... acho que sim.

Ficaram sentados bebendo o café.

– É de se perguntar como um homem vem parar num buraco destes.

– É... – disse Harry.

– Por sinal, se interessar, meu nome é William.

– Eu me chamo Harry.

– Você pode me chamar de Bill.

– Obrigado.

– Você tem a expressão de alguém que chegou ao fim de alguma coisa.

– Estou apenas cansado desta vida de mendigo, cansado até os ossos.

– Quer voltar para a sociedade, Harry?

– Não, isso não. Quero apenas sair dessa situação.

– Há o suicídio.

– Eu sei.

– Escute – disse Bill –, o que precisamos é de um pouco de dinheiro fácil para retomarmos o fôlego.

– Claro, mas como?

– Bem, é um pouco arriscado.

– Quão arriscado?

– Eu costumava roubar casas. Não é ruim. Seria legal ter um bom parceiro.

– Ok. Estou pronto para tentar qualquer coisa. Estou enjoado de feijão aguado, de rosquinhas da semana passada, dos missionários, as palestras sobre Deus, os roncos...

– Nosso problema é como chegar até um lugar em que possamos operar – disse Bill.

— Tenho alguns dólares.
— Tudo bem, me encontre perto da meia-noite. Tem um lápis?
— Não.
— Espere. Vou pedir um emprestado.

Bill voltou com o toco de um lápis. Pegou um guardanapo e escreveu.

— Tome o ônibus Beverly Hills e peça ao motorista para descer aqui. Então caminhe dois quarteirões na direção norte. Estarei esperando lá. Vai conseguir?
— Estarei lá.
— Você tem esposa? – Bill perguntou.
— Tinha – Harry respondeu.

Fazia frio naquela noite. Harry desceu do ônibus e caminhou dois quarteirões para o norte. Estava escuro, muito escuro. Bill estava em pé fumando um cigarro de palha. Ele não estava parado no meio da calçada, mas encostado contra um grande arbusto.

— Olá, Bill.
— Olá, Harry. Está pronto para começar sua nova e lucrativa carreira?
— Estou.
— Muito bem. Tenho explorado esta região. Acho que escolhi uma casa boa pra gente. Isolada. Fede a dinheiro. Está com medo?
— Não, não estou com medo.
— Isso é bom. Fique tranquilo e me siga.

Harry seguiu Bill pela calçada por um quarteirão e meio, então Bill atalhou por entre dois arbustos e por um grande gramado. Caminharam até os fundos da casa, uma mansão espetacular com dois andares. Bill parou diante da janela dos fundos. Cortou a tela com sua faca, depois ficou imóvel, a escutar. Tudo estava quieto como um cemitério. Bill ergueu a tela e a afastou. Ficou ali trabalhando na janela. Bill embromou por algum tempo, e então Harry começou a pensar: "Jesus. Estou com um amador, com algum tipo de louco." Então a janela abriu e Bill entrou por ela. Harry podia ver sua bunda balançando enquanto se debatia para passar. "Isso é ridículo", pensou. "Homens fazem esse tipo de coisa?"

– Venha – Bill sussurrou do lado de dentro.

Harry passou pela janela. Realmente a casa fedia a dinheiro e a lustra-móveis.

– Jesus. Bill. Agora estou com medo. Isso não faz nenhum sentido.

– Não fale tão alto. Você quer ou não quer se livrar daquele feijão aguado?

– Sim.

– Então seja homem.

Harry ficou parado em pé, enquanto Bill lentamente abria gavetas e colocava coisas em seus bolsos. Pareciam estar em uma sala de jantar. Bill estava colocando colheres e facas e garfos em seus bolsos. "Como vamos conseguir algum dinheiro por isso?", pensou Harry.

Bill continuava a socar a prataria nos bolsos de seu casaco e então derrubou uma faca. O chão era duro, sem carpete, e o som foi alto e claro.

– Quem está aí?

Bill e Harry não responderam.

– Quem está aí?

– O que é, Seymour? – disse a voz de uma garota.

– Acho que ouvi algo. Alguma coisa me acordou.

– Ah, volte a dormir.

– Sério. Ouvi algo.

Harry ouviu um som de cama se mexendo e então o som de um homem caminhando. O homem passou pela porta e logo estava na sala de jantar com os dois. Ele usava pijamas, era um jovem de 26 ou 27 anos com um cavanhaque e cabelos longos.

– Muito bem, seus escrotos, o que estão fazendo na minha casa?

Bill virou-se para Harry.

– Entre no quarto. Pode ter um telefone lá. Não deixe a garota usá-lo. Vou tomar conta desse daqui.

Harry caminhou em direção ao quarto, achou a porta, entrou, viu uma loira jovem perto dos 23 anos, cabelos longos, vestindo uma camisola sensual, os seios soltos. Havia um telefone no criado mudo e ela não o estava usando. De súbito, ela levou o dorso da mão à boca. Estava sentada na cama.

– Não grite – disse Harry – ou eu mato você.

Permaneceu ali, olhando-a, pensando em sua própria esposa, mas nunca uma esposa como aquela. Harry começou a suar, sentiu-se tonto e encararam um ao outro.

Harry sentou na cama.

– Deixe minha esposa em paz ou eu mato você! – disse o jovem.

Bill acabara de trazê-lo para o quarto. Segurava-o com uma chave de braço e mantinha sua faca espetando as costas do sujeito.

– Ninguém irá machucar sua esposa, cara. Apenas nos conte onde está a porra da grana e iremos embora.

– Já disse. Tudo o que eu tenho está na minha carteira.

Bill apertou a chave de braço e forçou um pouco mais a faca. O sujeito tremeu.

– As joias – disse Bill. – Me mostre as joias.

– Estão lá em cima...

– Muito bem. Me leve até lá.

Harry observou Bill levá-lo para fora do quarto. Harry continuou encarando a garota e ela devolvia o mesmo olhar. Olhos azuis, e as pupilas estavam dilatadas de medo.

– Não grite – ele lhe disse – ou mato você, então é melhor você me ajudar!

Os lábios dela começaram a tremer. Estavam no tom mais pálido que o rosa pode assumir, e então os lábios dos dois estavam colados. Ele estava mal barbeado e sujo, rançoso, e ela era branca, um branco liso, delicado, tremendo. Ele segurou a cabeça da jovem nas mãos. Afastou-a e olhou-a nos olhos.

– Sua puta – ele disse. – Sua puta de merda!

Beijou-a novamente, com força. Caíram juntos na cama. Ele estava tirando os sapatos, segurando-a. Então foi tirando as calças e durante todo o tempo não deixou de segurá-la e beijá-la.

– Sua puta, sua puta de merda...

– *Oh não! Jesus Cristo! Não! A minha esposa não, seus crápulas!*

Harry não os ouvira entrar. O jovem soltou um berro. Então Harry ouviu um murmúrio. Levantou-se um pouco e olhou ao redor. O sujeito estava no chão com sua garganta cortada, o sangue esguichava de modo ritmado pelo chão.

– Você o matou! – disse Harry.

– Ele estava gritando.

– Não precisava matá-lo.

– Você não precisava estuprar a mulher.

– Não a estuprei, e você o matou.

Então ela começou a gritar. Harry colocou a mão sobre sua boca.

– O que vamos fazer? – perguntou.

– Vamos matá-la também. Ela é uma testemunha.

– Não posso matá-la – disse Harry.

– Eu mato – disse Bill.

– Mas não vamos desperdiçar a oportunidade.

– Então vá em frente, fode ela.

– Enfie algo na boca para ela não gritar.

– Já vou dar um jeito nisso – disse Bill.

Ele pegou um lenço da gaveta e enfiou na boca da mulher. Então rasgou a fronha do travesseiro em tiras e amarrou tudo de maneira que o lenço não pudesse sair.

– Ferro nela – disse Bill.

A garota não resistiu. Parecia estar em estado de choque.

Quando Harry acabou o serviço, Bill começou. Harry ficou olhando. Era isso. Era assim que funcionava no mundo inteiro. Quando um exército conquistador chegava, tomavam as mulheres. Eles eram os conquistadores.

Bill saiu de cima dela.

– Porra, foi muito bom.

– Escute, Bill, não vamos matá-la.

– Ela vai nos dedurar. É uma testemunha.

– Se lhe pouparmos a vida, ela não vai falar nada. Vai valer a pena para ela.

– Ela vai nos entregar para a polícia. Conheço a natureza humana. Ela vai nos entregar mais tarde.

– Seria de estranhar se ela não fizesse isso depois do que fizemos, não?

– Exatamente o que eu quero dizer – disse Bill. – Por que deixá-la viva então?

– Escute, vamos perguntar a ela. Vamos falar com ela. Vamos ver o que ela acha.

– Eu *sei* o que ela acha. Vou matá-la.

– Por favor, não a mate, Bill. Vamos mostrar alguma decência.

– Alguma decência? Agora? Tarde demais. Se ao menos você tivesse sido homem suficiente para manter seu maldito caralho fora da...

– Não a mate, Bill, não vou... suportar...

– Vire de costas.

– Bill, por favor...

– Já disse pra virar de costas!

Harry virou-se para o outro lado. Pareceu não haver nenhum som. Minutos passaram.

– Já terminou, Bill?

– Sim. Pode olhar.

– Não quero. Vamos embora. Vamos sair daqui.

Saíram pela mesma janela pela qual tinham entrado. A noite estava ainda mais fria. Foram pelo lado escuro da casa e atravessaram a cerca viva.

– Bill?

– Hein?

– Me sinto bem agora, como se não tivesse acontecido.

– Aconteceu.

Caminharam de volta para a parada de ônibus. Durante a noite, o intervalo entre os ônibus era maior, provavelmente teriam que esperar uma hora. Ficaram na parada e examinaram um ao outro procurando manchas de sangue e estranhamente não encontraram nada. Então enrolaram e acenderam dois cigarros.

Então subitamente Bill cuspiu o seu.

– Porra do caralho! Puta que pariu!
– Que foi, Bill?
– Esquecemos de pegar a carteira!
– Puta merda... – disse Harry.

Um homem

George estava deitado em seu *trailer*, estirado de costas, vendo televisão em um pequeno aparelho portátil. Os pratos da janta não estavam lavados, a louça do café da manhã não estava lavada, ele precisava se barbear e as cinzas de seu cigarro de palha caíam na camiseta de dormir que ele estava usando. Algumas das cinzas ainda estavam queimando. Às vezes as cinzas não caíam na camiseta que vestia, mas sim na própria pele, então ele praguejava enquanto as empurrava para longe com pequenos tapas.

Bateram à porta do *trailer*. Lentamente ele se levantou e foi atender. Era Constance. Trazia consigo uma garrafa de uísque em uma sacola.

– George, deixei aquele cretino, não dava mais para aguentar aquele filho da puta.

– Sente-se.

George abriu a garrafa, pegou dois copos, encheu cada um com um terço de uísque e dois terços de água. Sentou-se na cama com Constance. Ela pegou um cigarro de sua bolsa e o acendeu. Estava bêbada, e suas mãos tremiam.

– Levei o dinheiro dele também. Peguei a porra do dinheiro e fugi enquanto ele estava no trabalho. Você não sabe como sofri nas mãos daquele filho da puta.

– Deixe-me fumar um pouco – disse George.

Ela alcançou o cigarro para ele e, como ela inclinou o corpo ao se aproximar, George enlaçou-a com um braço, puxou-a e deu-lhe um beijo.

– Seu filho da puta – ela disse. – Senti a sua falta.

– Senti falta dessas suas pernas gostosas, Connie. Realmente senti falta dessas pernas.

— Ainda gosta delas?
— Fico de pau duro só de olhar.
— Eu nunca teria dado certo com um sujeito que estudou em universidade — disse Connie. — São muito moles, são como biscoitinho molhado no leite. E ele mantinha a casa limpa. George, era como ter uma empregada. Ele fazia tudo. O lugar era impecável. Dava para comer um cozido de carne feito na privada. Ele era antisséptico, é isso o que ele era.
— Beba mais. Vai se sentir melhor.
— E ele não conseguia fazer amor.
— Quer dizer que ele não conseguia ter uma ereção?
— Oh não. Ele conseguia ter uma ereção. Tinha o tempo todo. Mas não sabia fazer uma mulher feliz, sabe. Não sabia o que fazer. Com todo aquele dinheiro, todo aquele estudo, ele era um inútil.
— Eu queria ter estudado em uma universidade.
— Você não precisa. Você já tem tudo de que precisa, George.
— Sou apenas um peão. Com empreguinhos de merda.
— Eu disse que você tem tudo o que precisa, George. Você sabe como fazer uma mulher feliz.
— É?
— Sim. E sabe do que mais? A *mãe* dele vinha nos visitar! A *mãe*! Duas ou três vezes por semana. E ficava sentada lá me olhando, fingindo que gostava de mim, mas passava o tempo todo me tratando como se eu fosse uma puta, como se eu fosse uma grande puta, uma puta malvada que estava roubando o filhinho dela! O precioso Walter! Que confusão!
— Beba, Connie.
George tinha terminado. Esperou que Connie esvaziasse seu copo, então pegou ambos e os encheu novamente.
— Ele dizia que me amava. E eu dizia: "Olha a minha buceta, Walter!". E ele não olhava pra minha buceta. Ele dizia: "Não quero olhar pra essa coisa". Essa *coisa*! Assim ele a chamava! Você não tem medo da minha buceta, não é mesmo, George?

– Ela nunca me mordeu.
– Mas você já mordeu ela, já mordiscou, não é, George?
– Acho que sim.
– E lambeu e chupou?
– Suponho que sim.
– Você sabe muito bem, George, o que fez.
– Quanto dinheiro você pegou?
– Seiscentos dólares.
– Não gosto de pessoas que roubam dos outros, Connie.
– É por isso que você não passa de um lavador de pratos. Você é honesto. Mas ele era tão idiota, George. E ele tinha dinheiro, e eu mereci a grana... ele e a *mãe* dele e o *amor* dele, seu *amor maternal*, suas pias pequenas e limpas e privadas e sacos de lixo e carros novos e as pastilhas contra mau hálito e as loções pós-barba e as pequenas ereções e a preciosa fazeção de amor. Tudo para *ele,* você entende, tudo para *ele!* Você sabe o que uma mulher quer, George...

– Obrigado pelo uísque, Connie. Me dá outro cigarro.
George encheu os copos mais uma vez.
– Senti falta das suas pernas, Connie. Realmente senti falta dessas pernas. Gosto do jeito que você usa esses saltos altos. Me deixa louco. Essas mulheres modernas não sabem o que estão perdendo. O salto alto modela a panturrilha, a coxa, a bunda; põe ritmo na caminhada. Realmente me excita!
– Você fala como um poeta, George. Às vezes você fala assim. Você é um tremendo lavador de pratos.
– Sabe o que eu realmente gostaria de fazer?
– O quê?
– Gostaria de chicotear suas pernas com o meu cinto, as pernas, a bunda, as coxas. Gostaria de fazer você tremer e chorar e então, quando estivesse tremendo e chorando, eu ia te arrebentar com amor puro.
– Não quero isso, George. Você nunca falou assim antes. Sempre foi correto comigo.
– Levanta um pouco o vestido.
– O quê?

— Levanta um pouco o vestido, quero ver mais as suas pernas.

— Gosta delas, não é, George?

— Deixa a luz bater nelas!

Constance levantou o vestido.

— Jesus Cristo nosso Senhor – disse George.

— Gosta das minhas pernas?

— Amo suas pernas!

Então George se espichou através da cama e deu uma bofetada na cara de Constance. O cigarro caiu de sua boca.

— Por que você fez isso?

— Você trepou com o Walter! Trepou com o Walter!

— E daí?

— Levanta mais esse vestido!

— Não!

— Faz o que eu estou mandando!

George deu outro tapa ainda mais forte. Constance levantou a saia um pouco mais.

— Um pouco abaixo da calcinha! – gritou George. – Não quero ver a calcinha!

— Cristo, George, o que você tem?

— Você trepou com Walter!

— George, eu juro, você está louco. Quero ir embora. Deixe-me sair daqui, George!

— Não se mexa ou mato você!

— Você me mataria?

— Juro que sim!

George levantou e se serviu de outro copo cheio de uísque puro, bebeu e sentou-se ao lado de Constance. Ele pegou seu cigarro e o segurou contra o pulso dela. Ela gritou. Segurou o cigarro ali, firmemente, então o afastou.

— Sou um homem, gata, dá pra entender isso?

— Sei que você é homem, George.

— Aqui, olha para os meus músculos!

George levantou-se e flexionou os dois braços.

— Lindo, né, gata? Olha para esses músculos! Sente isso! Sente isso!

Constance apalpou e sentiu um de seus braços e depois o outro.

– Sim, você tem um corpo lindo, George.

– Sou um homem. Sou um lavador de pratos, mas sou um homem, um homem de verdade.

– Eu sei, George.

– Não sou como aquele merdinha que você deixou.

– Eu sei disso.

– E também sei cantar. Você precisa ouvir a minha voz.

Constance ficou ali sentada. George começou a cantar. Cantou "Old Man River". Depois "Nobody Knows the Trouble I've Seen". Cantou "Saint Louis Blues" e "God Bless America", parando várias vezes e rindo. Então se sentou ao lado de Constance e disse:

– Connie, você tem pernas lindas.

Pediu outro cigarro. Fumou, bebeu mais dois copos, então colocou sua cabeça no colo dela, em cima das coxas, contra as meias, e disse:

– Connie, acho que não sou bom, acho que sou louco, sinto muito por ter batido em você, me desculpe por tê-la queimado com aquele cigarro.

Constance permaneceu sentada. Passou seus dedos pelos cabelos de George, afagando-o e reconfortando-o. Logo ele estava dormindo. Ela esperou um pouco mais. Então levantou sua cabeça e a recostou em um travesseiro, levantou suas pernas e as endireitou na cama. Ela levantou-se, caminhou até a garrafa de uísque, serviu uma boa dose em seu copo, acrescentou um toque de água e bebeu tudo de uma vez. Caminhou até a porta do *trailer*, abriu-a, saiu e a fechou às suas costas. Caminhou pelo jardim, abriu o portão da cerca, caminhou pela viela sob o luar da uma da madrugada. O céu estava limpo e sem nuvens. O mesmo céu cheio de estrelas estava lá. Chegou ao bulevar e caminhou para leste, chegou até a entrada do *Blue Mirror*. Entrou, olhou ao redor e lá estava Walter sentado na ponta do balcão do bar, sozinho e bêbado. Caminhou até ele e sentou-se ao seu lado.

– Sentiu a minha falta, amor? – ela perguntou.
Walter ergueu os olhos e a reconheceu. Não respondeu. Ele olhou para o balconista e o balconista olhou para eles. Todos se conheciam.

Classe

Não estou certo da localização. Algum lugar a nordeste da Califórnia. Hemingway recém acabara um romance, vinha da Europa ou de lá sei onde e estava no ringue lutando contra alguém. Havia jornalistas, críticos, escritores – aquela tribo – e também algumas jovens senhoritas sentadas nas cadeiras próximas ao ringue. Sentei na última fileira de cadeiras. A maioria das pessoas não estava observando Hemingway. Estavam conversando umas com as outras e rindo.

O sol estava alto. Era alguma das horas do início da tarde. Eu observava o Ernie. Já tinha derrotado o adversário, estava brincando com ele. Distribuía *jabs* e cruzados à vontade. Então colocou o adversário no chão. As pessoas os olhavam. O oponente de Hemingway levantou-se quando a contagem chegou ao oito. Hemingway foi na direção dele, então parou. Ernie tirou seu protetor bucal, riu e despachou o oponente com um aceno de mão. Foi uma vitória fácil. Ernie caminhou para o seu *corner*. Reclinou a cabeça para trás e alguém espremeu água em sua boca.

Levantei da minha cadeira e caminhei lentamente pelo corredor entre os assentos. Aproximei-me, espichei a mão e chamei-o com um cutucão.

– Sr. Hemingway?
– Sim, o que é?
– Gostaria de lutar com senhor.
– Você tem alguma experiência no boxe?
– Não.
– Então vá arranjar alguma.
– Estou aqui para quebrar a sua cara.

Ernie riu. Disse para o sujeito no *corner*:

— Arranje calções e luvas para o garoto.

O sujeito pulou para fora do ringue, e eu o segui pelo corredor entre as cadeiras até o vestiário.

— Você está louco, garoto? — me perguntou.

— Não sei. Acho que não.

— Aqui. Experimente esses calções.

— Ok.

— Ih... está muito grande.

— Foda-se. Vai assim mesmo.

— Ok, deixe-me colocar a faixa nas suas mãos.

— Sem faixas.

— Sem faixas?

— Sem faixas.

— Que tal um protetor bucal?

— Sem protetor.

— Vai lutar com ele usando esses sapatos?

— Lutarei de sapato.

Acendi um charuto e o segui até o ringue. Caminhei pelo corredor fumando o charuto. Hemingway subiu novamente no ringue e colocaram as luvas nele. Não havia ninguém no meu *corner*. Finalmente alguém chegou e colocou as luvas em mim. Fomos chamados ao centro do ringue para receber instruções.

— Quando você partir para um *clinch* — disse o juiz —, eu vou...

— Não uso o *clinch* — eu disse ao juiz.

Ele seguiu dando outras instruções.

— Ok. Voltem para seus *corners*. Quando o gongo soar, lutem. Que vença o melhor homem. E — ele me disse — é melhor você tirar o cigarro da boca.

Quando o gongo soou, comecei com o charuto ainda na boca. Puxando uma boa baforada, soprei a fumaça na cara de Ernest Hemingway. A multidão riu.

Hem avançou, soltou um *jab* e um gancho e errou os dois. Eu tinha os pés rápidos. Ginguei um pouco, avancei, tap tap tap tap tap, cinco *jabs* de esquerda no nariz do papai.

Dei uma olhada em uma garota da primeira fila, uma coisinha muito bonita, e então Hem acertou uma direita, tirando o charuto de minha boca. Senti minha boca e minha bochecha queimarem e tirei as cinzas quentes. Cuspi a bagana e acertei um gancho na barriga de Ernie. Ele soltou um gancho com a direita e me pegou na orelha com uma esquerda. Abaixou-se para se esquivar da minha direita e me acertou uma saraivada, levando-me até as cordas. Justo quando soou o gongo, ele soltou uma sólida direita no meu queixo. Levantei e caminhei para o meu *corner*.

Um sujeito apareceu com um balde.

– O sr. Hemingway quer saber se você gostaria de lutar mais um *round* – o sujeito me perguntou.

– Diga ao sr. Hemingway que ele teve sorte. Entrou fumaça nos meus olhos. Mais um assalto é só do que preciso para terminar o serviço.

O sujeito com o balde foi até lá e eu podia ver Hemingway rindo.

O gongo soou e eu saí rapidamente. Comecei soltando a mão, não com muita força, mas com boas combinações. Ernie recuou, errando seus socos. Pela primeira vez vi dúvida em seus olhos.

"Quem é esse garoto?", ele devia estar pensando. Encurtei meus golpes, acertei-o com mais força. Acertei cada golpe. Cabeça e corpo. Combinações variadas. Boxeei como Sugar Ray e bati como Dempsey.

Coloquei Hemingway contra as cordas. Ele não tinha como cair. Cada vez que ele começava a cair para frente, eu o endireitava com outro soco. Era assassinato. *Morte na tarde*.

Dei uma passo para trás e o sr. Ernest Hemingway caiu para frente, nocauteado.

Desamarrei minhas luvas com os dentes, tirei-as e saltei para fora do ringue. Caminhei para o meu vestiário, quero dizer, o vestiário de Hemingway, e tomei um banho. Bebi uma garrafa de cerveja, acendi um charuto e sentei na ponta da mesa de massagem. Trouxeram Ernie carregado e o colocaram na outra mesa. Ele ainda estava fora do ar. Continuei sentado ali, pelado, observando-os enquanto se preocupavam com Ernie. Havia mulheres na sala, mas não dei atenção. Então um sujeito veio até mim.

– Quem é você? – perguntou. – Qual o seu nome?

– Henry Chinaski.

– Nunca ouvi falar – ele disse.

– Vai ouvir – eu disse.

Todos vieram me cercar. Ernie foi deixado sozinho. Pobre Ernie. Todos ao redor de mim. As mulheres também. Nenhuma em especial me chamava a atenção, com exceção de uma delas. Uma mulher muito classuda me olhava de cima a baixo. Parecia ser uma mulher da sociedade, rica, educada e todo o resto... bom corpo, boa cara, boas roupas, tudo aquilo.

– O que você faz? – alguém me perguntou.

– Trepo e bebo.

– Não, não, quero saber qual a sua ocupação?

– Lavador de pratos.

– Lavador de pratos?

– Sim.

– Você tem algum passatempo?

– Bem, não sei se dá para chamar de passatempo. Escrevo.

– Escreve?

– É.

– O quê?

– Contos. Coisa fina.

– Já foi publicado?

– Não.

– Por quê?

– Não mandei para ninguém.

– Onde estão seus contos?

– Ali – apontei para uma pasta rasgada.

– Escute, sou um crítico do *New York Times*. Você se importa se eu levar suas histórias para casa e as ler? Vou devolver.

– Por mim tudo bem, cara, mas não sei onde estarei.

A mulher de classe deu um passo à frente.

– Ele estará comigo.

Então ela disse:

– Vamos, Henry, vista suas roupas. É uma longa viagem e temos algumas coisas para... conversar.

Vesti-me e então Ernie voltou a si.

– O que raios aconteceu? – ele perguntou.

– Você encontrou um sujeito muito bom, sr. Hemingway – alguém lhe disse.

Acabei de me vestir e fui até onde ele estava.

– Você é bom, papai, ninguém ganha todas – apertei sua mão. – Não vá estourar os miolos.

Saí com a grã-fina, e entramos em um carro conversível amarelo que tinha o comprimento de meio quarteirão. Ela dirigia com o pé no fundo e fazia as curvas derrapando e cantando os pneus e sem nenhuma expressão no rosto. Isso era classe. Se ela amasse como dirigia, seria uma noite e tanto.

O lugar ficava em cima das colinas, afastado de tudo. Um mordomo abriu a porta.

– George – ela lhe disse –, tire a noite de folga. Não, pensando melhor, tire a semana de folga.

Entramos, e havia um sujeito grande sentado em uma cadeira com uma bebida na mão.

– Tommy – ela disse –, desapareça.

Seguimos pela casa.

– Quem era o grandão? – perguntei a ela.

– Thomas Wolfe – ela disse. – Um tédio.

Ela parou na cozinha para pegar uma garrafa de uísque e dois copos. Então disse:

– Vamos.

Segui-a para o quarto.

Na manhã seguinte o telefone nos acordou. Era para mim. Ela me alcançou o telefone, e me sentei ao lado dela na cama.

– Sr. Chinaski?
– Sim?
– Li suas histórias. Fiquei tão entusiasmado que não pude dormir de noite. Você é certamente o maior gênio da nossa década!
– Só da década?
– Bem, talvez do século.
– Assim está melhor.
– Os editores da *Harper's* e da *Atlantic* estão aqui comigo. Você pode não acreditar, mas cada um dele aceitou cinco histórias para publicação futura.
– Acredito – eu disse.

O crítico desligou. Deitei. A mulher de classe e eu fizemos amor mais uma vez.

Pare de olhar para as minhas tetas, senhor

Big Bart era o sujeito mais malvado do Oeste. Tinha a pistola mais rápida do Oeste e havia fodido mais mulheres do que qualquer outro no Oeste. Não gostava de banho, bobagens e nem de ser o segundo melhor. Também era o chefe de uma caravana que ia para o Oeste e não havia um homem da sua idade que tivesse matado mais índios, trepado com mais mulheres ou matado mais brancos.

Big Bart era o melhor e ele sabia disso, todo mundo sabia. Até seus peidos eram excepcionais, mais altos do que a campainha que anunciava a janta, e ele tinha o pau grande. O que Big Bart fazia era levar a caravana em segurança, foder as mulheres, matar alguns homens e então voltar para recarregar a caravana. Tinha uma barba negra, um cu sujo e dentes amarelos e radiantes.

Tinha acabado de foder a jovem esposa de Billy Joe até deixá-la com as pernas frouxas, enquanto obrigava Billy Joe a ficar olhando. Fez a jovem esposa falar com Billy Joe enquanto a fodia. Fez com que ela gritasse:

– Ah, Billy Joe, todo esse caralho enfiado em mim, da minha buceta até a minha garganta, mal posso respirar! Billy Joe, me salve! Não, Billy Joe, não me salve!

Depois que Big Bart gozou, fez com que Billy Joe lavasse seu pau, e então foram todos para um grande jantar de toucinho, ervilhas e biscoitos.

No dia seguinte, encontraram uma carroça que fazia sozinha o caminho pela pradaria. Um garoto magricelo de aproximadamente dezesseis anos com um caso sério de acne estava nas rédeas. Big Bart se aproximou e conduziram lado a lado.

– Qual é, garoto – ele disse.

O garoto não respondeu.

– Estou falando com você, garoto...

– Vai tomar no cu – disse o garoto.

– Sou Big Bart.

– Vai tomar no cu, Big Bart – disse o garoto.

– Qual o seu nome, filho?

– Pode me chamar de "Kid".

– Olha, Kid, não há nenhuma chance de um homem conseguir passar por este território indígena com uma única carroça.

– Pretendo conseguir – disse Kid.

– Ok. É a sua bunda que está em jogo, Kid – disse Big Bart. Enquanto se afastava, os panos da carroça abriram e de lá saiu uma jovenzinha com cem centímetros de peito e um belo e grande traseiro e olhos como os do céu após uma boa chuva. Ela pôs os olhos em Big Bart, e o caralho dele estremeceu contra a protuberância da sela.

– Para o seu próprio bem, Kid, você vem conosco.

– Vá se foder, velhote – disse Kid –, não aceito conselhos de velhos de cueca suja.

– Já matei homens só por piscarem seus olhos – disse Big Bart.

Kid cuspiu no chão. Então espichou a mão e coçou o saco.

– Velho, você me aborrece. Desaparece da minha frente ou vou deixá-lo parecido com um pedaço de queijo suíço.

– Kid – disse a garota se inclinando sobre ele, uma de suas tetas escapou, dando uma ereção à luz do sol. – Kid, acho que o homem está certo. Sozinhos não teremos nenhuma chance contra aqueles índios filhos da puta. Não seja um imbecil. Diga ao homem que iremos juntos.

– Iremos juntos – disse Kid.

– Qual o nome da sua garota? – perguntou Big Bart.

– Orvalho de Mel – disse Kid.

– E pare de olhar para as minhas tetas, senhor – disse Orvalho de Mel –, ou vou espancá-lo até a morte.

As coisas ficaram bem por um tempo. Houve uma escaramuça com os índios no cânion Blueball; 37 índios foram mortos, um capturado. Nenhuma baixa americana. Big Bart comeu o cu do índio capturado e depois o contratou como cozinheiro. Houve outra escaramuça no cânion Clap, 37 índios foram mortos, um capturado. Nenhuma baixa americana. Big Bart comeu o cu...

Era óbvio que Big Bart sentia tesão por Orvalho de Mel. Não podia tirar os olhos dela. Aquele rabo, o grande problema era o rabo. Uma vez, de tanto olhar, caiu de seu cavalo e um dos dois cozinheiros indígenas riu. Ficaram apenas com um cozinheiro indígena.

Um dia Big Bart enviou Kid com um grupo de caça para pegarem alguns búfalos. Big Bart esperou até que eles se afastassem então aproximou-se da carroça de Kid. Saltou para o assento e empurrou os panos para trás e entrou. Orvalho de Mel estava agachada no centro da carroça se masturbando.

– Jesus, tesudinha – disse Big Bart –, não cometa esse desperdício.

– Saia já daqui – disse Orvalho de Mel, tirando o dedo e o mostrando para Big Bart –, saia daqui e me deixe fazer o que quero!

– Seu homem não está dando conta de você, Orvalho de Mel!

– Ele está dando conta de mim, idiota, acontece que eu não consigo me satisfazer. Depois das minhas regras fico muito excitada.

– Escute, tesudinha...

– Vai se foder!

– Escute, garota, olhe...

E ele botou sua britadeira pra fora. Estava roxa e balançava pra frente e parar trás como um pêndulo de relógio do tempo do vovô. Gotinhas de cuspe caíram no chão.

Orvalho de Mel não podia tirar os olhos daquele instrumento. Finalmente ela disse:

– Você não vai meter essa merda em mim!

– Diga isso como se realmente quisesse dizer isso, Orvalho de Mel.

– VOCÊ NÃO VAI METER ESSA MERDA EM MIM!

– Mas por quê? Por quê? Dê uma olhada nele.

– Estou olhando!

– Mas por que não quer?

– Porque estou apaixonada pelo Kid.

– Amor? – disse Big Bart rindo. – Amor? Amor é um conto de fadas para idiotas! Olha bem para essa fantástica foice! Isso ganha do amor sempre!

– Amo Kid, Big Bart.

– E veja a minha língua – disse Big Bart –, a melhor língua do Oeste.

Colocou a língua para fora e demonstrou alguns movimentos.

– Eu amo o Kid – disse Orvalho de Mel.

– Bem, vá se foder – disse Big Bart e correu e se atirou em cima dela.

Foi um trabalho do cão para enfiar o pau nela e, quando conseguiu, Orvalho de Mel gritou. Deu sete bombadas e então sentiu que estava sendo puxado para fora.

ERA KID. DE VOLTA DA CAÇADA.

– Pegamos o seu búfalo, seu filho da puta. Agora, se você colocar suas calças e sair, acertaremos o resto.

– Tenho o gatilho mais rápido do Oeste – disse Big Bart.

– Vou abrir um buraco tão grande em você que seu cu vai parecer um poro em sua pele – disse Kid. – Vamos lá, vamos resolver isso. Estou com fome para o jantar. Essa caçada de búfalo me abriu o apetite...

Os homens sentaram ao redor da fogueira observando. Havia uma certa vibração no ar. As mulheres ficaram nas carroças, rezando, se masturbando e bebendo gim. Big bart tinha 34 marcas em sua arma e péssima memória. Kid não tinha nenhuma marca em sua arma. Mas tinha uma confiança que poucos já haviam visto antes. Big Bart parecia o mais nervoso dos dois. Tomou um gole de uísque, bebendo metade do frasco, então caminhou até Kid.

– Olhe, Kid...

– Fala, filho da puta...

– Quero dizer, por que perder a cabeça por uma coisa dessas?

– Vou estourar suas bolas, velho!

– Por quê?

– Você estava se metendo com a minha mulher, velho!

– Escute, Kid, não entende o que aconteceu? A fêmea nos colocou um contra o outro. Estamos entrando no jogo dela.

– Não quero ouvir sua merda, paizinho! Agora recue e saque! Já chega!

– Kid...

– Recue e saque!

Os homens na fogueira ficaram tensos. Um leve vento soprou do Oeste e cheirava a merda de cavalo. Alguém tossiu. As mulheres agachadas em suas carroças, bebendo gim, rezando e se masturbando. O crepúsculo chegava.

Big Bart e Kid estavam a trinta passos um do outro.

– Saque, titica de galinha – disse Kid –, saque, seu titica de galinha, molestador de mulheres!

Discretamente surgiu uma mulher por entre os panos de uma carroça com um rifle. Era Orvalho de Mel. Ela apoiou o rifle no ombro e fez mira pelo cano.

– Vamos, seu estuprador de merda – disse Kid –, SAQUE!

A mão de Big Bart bateu levemente no coldre. Um tiro soou pelo crepúsculo. Orvalho de Mel baixou seu rifle fumegante e voltou para dentro da carroça coberta. Kid estava morto no chão, um buraco em sua testa. Big Bart colocou sua arma, que não tinha sido usada, de volta no coldre e caminhou a passos largos para a carroça. A lua estava alta.

Algo sobre uma bandeira vietcongue

O deserto assava sob o sol do verão. Red pulou de seu vagão enquanto o trem parava, logo antes do parque ferroviário. Cagou atrás de umas pequenas pedras ao norte, limpou a bunda com algumas folhas. Depois caminhou uns cinquenta metros, sentou-se à sombra, atrás de outra pedra e enrolou um cigarro. Viu os *hippies* caminhando em sua direção. Dois sujeitos e uma garota. Haviam pulado do trem no parque e estavam caminhando de volta.

Um dos sujeitos carregava uma bandeira vietcongue. Os sujeitos pareciam moles e inofensivos. A garota tinha um belo e largo traseiro, quase rasgava sua calça jeans. Era loira e tinha um caso grave de acne. Red esperou até que se aproximassem dele.

– *Heil* Hitler! – ele disse.

Os *hippies* riram.

– Para onde vocês estão indo? – Red perguntou.

– Estamos tentando chegar a Denver. Acho que vamos conseguir.

– Bem – disse Red –, vão ter de esperar um pouco. Vou ter de usar a garota de vocês.

– O que você quer dizer?

– Vocês me ouviram.

Red agarrou a garota. Com uma mão segurando o cabelo dela e a outra pegando sua bunda, ele a beijou. O mais alto dos sujeitos pegou Red pelo ombro.

– Espere um minuto...

Red se virou e pôs o sujeito no chão com um soco curto de esquerda. Um soco no estômago. O sujeito ficou no chão, respirando com dificuldade. Red olhou para o sujeito que estava com a bandeira vietcongue e disse:

– Se você não quer se machucar, me deixe em paz.

– Vamos – disse para a garota –, vá para trás daquelas pedras.

– Não, não vou fazer nada – ela disse. – Não vou!

Red puxou seu canivete e apertou o botão. A lâmina estava contra o nariz dela, pressionando para baixo.

– Como você acha que ficaria sem nariz?

Ela não respondeu.

– Vou cortá-lo fora – ele disse sorrindo maliciosamente.

– Escute – disse o sujeito com a bandeira –, você não vai se safar dessa.

– Venha, garotinha – disse Red, empurrando-a para as pedras.

Red e a garota desapareceram atrás das pedras. O sujeito com a bandeira ajudou seu amigo a se levantar. Ficaram lá parados. Ficaram parados por alguns minutos.

– Ele está fodendo a Sally. O que podemos fazer? Ele está fodendo a Sally agora mesmo.

– O que podemos fazer? Ele é um louco.

– Acho que deveríamos fazer algo.

– Sally deve estar pensando que nós somos uns merdas.

– Nós somos. Estamos em dois. Podíamos ter dado um jeito nele.

– Ele tinha uma faca.

– Não tem importância. Podíamos ter dado um jeito.

– Me sinto miserável.

– Como você acha que Sally está se sentindo? Ele está trepando com ela.

Ficaram parados e esperaram. O mais alto dos dois, o que havia levado o soco, se chamava Leo. O outro, Dale. Estava quente no sol enquanto esperavam.

– Temos dois cigarros ainda – disse Dale –, devemos fumar?

– Como, raios, podemos fumar sabendo o que está acontecendo atrás daquelas pedras?

– Tem razão. Meu Deus, por que está demorando tanto?

– Deus, não sei. Você acha que ele está matando ela?
– Estou ficando preocupado.
– Talvez. Melhor darmos uma olhada.
– Ok, mas tenha cuidado.

Leo caminhou em direção às pedras. Havia um pequeno morro com algum mato. Ele rastejou morro acima e espiou por trás do mato. Red estava fodendo Sally. Leo ficou olhando. Parecia não ter fim. Red continuava e continuava. Leo rastejou descendo o morro e caminhou até Dale e ficou em pé ao lado dele.

– Acho que ela está bem – ele disse.

Eles esperaram.

Finalmente Red e Sally saíram de trás das pedras. Caminharam até eles.

– Obrigado, irmãos – disse Red –, ela é muito gostosa.
– Apodreça no inferno! – disse Leo.

Red riu.

– Paz! Paz!

Mostrou o símbolo da paz com os dedos.

– Bem, acho que já vou seguir o meu caminho...

Red enrolou um cigarro rapidamente, sorrindo enquanto o lambia. Então acendeu, tragou e se afastou em direção ao norte, mantendo-se à sombra.

– Vamos fazer o resto do caminho pegando carona – disse Dale. – Vagões não são nada seguros.

– A autoestrada para o oeste – disse Leo. – Vamos.

Começaram a caminhar em direção ao oeste.

– Cristo – disse Sally –, mal posso caminhar! Ele é um animal!

Leo e Dale não disseram nada.

– Tomara que eu não fique grávida – disse Sally.
– Sally – disse Leo –, sinto muito...
– Ah, cale a boca!

Caminharam. O entardecer estava chegando e o calor do deserto estava diminuindo.

– Odeio os homens! – disse Sally.

Uma lebre saltou de trás de um arbusto e Leo e Dale se assustaram enquanto a lebre corria para longe.

– Um coelho – disse Leo. – Um coelho.

– O coelho assustou vocês, não é, rapazes?

– Bem, depois do que aconteceu, estamos um pouco assustados.

– Vocês estão assustados? E eu? Escutem, vamos sentar um minuto. Estou cansada.

Havia um pedaço de sombra e Sally sentou entre eles.

– Sabem, apesar... – ela disse.

– O quê?

– Não foi tão ruim. Considerando estritamente o sexo, quero dizer. Ele realmente me fodeu. Considerando estritamente o sexo, foi bem significativo.

– O quê? – disse Dale.

– Quero dizer, moralmente eu o odeio. O filho da puta devia levar um tiro. É um cachorro, um porco. Mas considerando estritamente o sexo, foi bastante...

Eles ficaram ali sentados sem dizer nada. Então tiraram os dois cigarros e fumaram, passando um para o outro.

– Queria que tivéssemos alguma droga – disse Leo.

– Deus, eu sabia que vocês iam dizer isso – disse Sally. – Vocês quase não existem.

– Talvez você se sentisse melhor se a gente estuprasse você? – perguntou Leo.

– Não seja idiota.

– Acha que não conseguiríamos estuprar você?

– Eu devia ter ido com ele. Vocês não são nada.

– Então agora você gosta dele? – perguntou Dale.

– Esqueça! – disse Sally. – Vamos para a estrada tentar descolar uma carona.

– Posso bater em você – disse Leo. – Posso fazer você chorar.

– Posso ficar olhando? – perguntou Dale rindo.

– Não haverá nada para olhar – disse Sally. – Vamos. Vamos embora.

Levantaram-se e caminharam para a estrada. Foi uma caminhada de dez minutos. Quando chegaram lá, Sally ficou na estrada com o dedão para cima. Leo e Dale ficaram escondidos. Haviam esquecido a bandeira vietcongue. Deixaram-na perto do parque ferroviário. Estava sobre a terra, perto dos trilhos dos trens. A guerra continuava. Sete formigas vermelhas das grandes caminhavam por cima da bandeira.

Você não consegue escrever uma história de amor

Margie ia sair com um sujeito, mas, no caminho, esse sujeito encontrou com outro que vestia um casaco de couro e o sujeito com casaco de couro abriu o casaco de couro e mostrou as tetas e o outro sujeito foi até a casa de Margie e disse que não poderia mais ir ao encontro, porque esse sujeito, vestindo um casaco de couro, havia lhe mostrado as tetas e ele iria trepar com esse sujeito. Então Margie foi até a casa de Carl. Carl estava em casa e ela se sentou e disse para Carl:

– Um sujeito ia me levar para um café com mesas na calçada e íamos beber vinho e conversar, só beber vinho e conversar, só isso, nada mais, mas no caminho para me encontrar, esse sujeito encontrou outro com um casaco de couro e o sujeito com casaco de couro lhe mostrou as tetas e agora esse sujeito vai trepar com o sujeito com casaco de couro e eu fico sem minha mesa e meu vinho e minha conversa.

– Não consigo escrever – disse Carl. – Acabou-se.

Então ele se levantou e foi até o banheiro, fechou a porta e deu uma cagada. Carl cagava quatro ou cinco vezes por dia. Não havia mais nada a fazer. Ele tomava cinco ou seis banhos por dia. Não havia mais nada a fazer. Ficava bêbado pela mesma razão.

Margie ouviu a descarga da privada. Então Carl saiu do banheiro.

– Um homem simplesmente não consegue escrever oito horas por dia. Nem mesmo consegue escrever todo dia ou toda semana. É uma situação péssima. Não há nada a fazer além de esperar.

Carl foi até a geladeira e voltou com um pacote de seis garrafas de cerveja Michelob. Abriu uma garrafa.

– Sou o maior escritor do mundo – ele disse. – Você sabe como isso é difícil?

Margie não respondeu.

– Posso sentir a dor rastejando por todo o meu corpo. É como uma segunda pele. Queria poder me livrar dessa pele como uma cobra.

– Bem, por que você não se deita no tapete e tenta?

– Escute – ele perguntou –, onde foi que a conheci?

– Na Bodega do Barney.

– Bem, isso explica um pouco as coisas. Beba uma cerveja.

Carl abriu uma garrafa e lhe entregou.

– É... – disse Margie – eu sei. Você precisa do seu isolamento. Você precisa ficar sozinho. Exceto quando quer trepar, ou exceto quando nos separamos, então você me liga. Diz que precisa de mim. Diz que está morrendo por causa de uma ressaca. Você enfraquece rápido.

– Enfraqueço rápido.

– E fica tão inerte quando estou por perto, nunca se excita. Vocês escritores são tão... preciosos... não suportam pessoas. A humanidade fede, certo?

– Certo.

– Mas toda vez que nos separamos você começa a fazer festas gigantes que duram quatro dias. E de repente você acorda, começa a FALAR! De repente fica cheio de vida, falando, dançando, cantando, dança em cima da mesa de café, joga garrafas pela janela, encena trechos de Shakespeare. De repente, você está vivo... quando estou longe. Ah, fiquei sabendo de tudo!

– Não faço festas. Odeio ainda mais as pessoas nas festas.

– Para um sujeito que não gosta de festas, certamente você organiza um bocado delas.

– Escute, Margie, você não entende. Não consigo mais escrever. Estou acabado. Em algum lugar tomei uma trajetória errada. Em algum momento, morri durante a noite.

– O único jeito de você morrer é numa dessas suas ressacas gigantescas.

– Jeffers diz que até mesmo o mais forte dos homens fica encurralado.

– Quem foi Jeffers?

– Foi o sujeito que transformou Big Sur numa armadilha para turistas.

– O que você ia fazer essa noite?

– Ia ouvir as músicas de Rachmaninoff.

– Quem é?

– Um russo que já morreu.

– Olha para você. Fica aí sentado.

– Estou esperando. Alguns sujeitos esperam por dois anos. Às vezes a coisa nunca volta.

– E se nunca voltar?

– Apenas vestirei meus sapatos e descerei até a rua principal.

– Por que não arranja um emprego decente?

– Não existem empregos decentes. Se um escritor não consegue sucesso através da criação, está morto.

– Ah, para com isso, Carl! Existem bilhões de pessoas no mundo que não atingem o sucesso pela criação. Quer me dizer que elas estão mortas?

– Sim.

– E você tem uma alma? Você é um dos poucos que tem uma alma?

– Diria que sim.

– *Diria* que sim! Você e a sua maquininha de escrever! Você e os seus cheques mirrados! Minha avó ganha mais dinheiro do que você!

Carl abriu outra garrafa de cerveja.

– Cerveja! Cerveja! Você e a porra da sua cerveja! Isso está nas suas histórias também. "Marty ergueu sua cerveja. Quando levantou os olhos, uma tremenda loira entrou no bar e sentou ao seu lado..." Você está certo. Está acabado. Seu material é limitado, muito limitado. Você não consegue escrever uma história decente de amor.

– Você está certa, Margie.

– Se um homem não consegue escrever uma história de amor, ele é um inútil.

– Quantas você já escreveu?

– Não digo que sou uma escritora.

– Mas – disse Carl – você parece posar como uma crítica literária infernal.

Margie, depois disso, foi logo embora. Carl ficou sentado e bebeu o resto das cervejas. Era verdade, a escrita o havia deixado. Isso deixaria algum de seus inimigos do subsolo felizes. Eles poderiam aumentar em um tento a marca dos inimigos abatidos. A morte os agradava, em cima ou embaixo da terra. Lembrou-se de Endicott, Endicott sentado, dizendo:

– Bem, Hemingway se foi, Dos Passos se foi, Patchen se foi, Pound se foi, Berryman pulou daquela ponte... as coisas estão parecendo cada vez melhores.

O telefone tocou. Carl atendeu.

– Sr. Gantling?

– Sim – ele respondeu.

– Gostaríamos de saber se você estaria interessado em uma leitura de algum dos seus trabalhos na Faculdade Fairmount.

– Bem, sim, qual a data?

– No dia 30 do próximo mês.

– Acho que não tenho nada marcado para esse dia.

– Nosso pagamento geralmente é de cem dólares.

– Geralmente recebo 150. Ginsberg ganha mil.

– Mas ele é Ginsberg. Podemos oferecer apenas cem.

– Tudo bem.

– Bom, sr. Gantling. Enviaremos os detalhes para você.

– E o transporte? Dirigir até aí não é pouca coisa.

– Ok, 25 dólares pela viagem.

– Ok.

– Gostaria de falar com os estudantes em suas classes?

– Não.

– Oferecemos um almoço grátis.
– Vou aceitar o almoço.
– Bom, sr. Gantling, estaremos esperando para vê-lo em nosso campus.
– Nos falamos.

Carl foi até o quarto. Olhou para a máquina de escrever. Colocou uma folha de papel no rolo, então observou uma garota com uma minissaia surpreendentemente curta cruzar pela frente de sua janela. Depois começou a escrever:

"Margie ia sair com um sujeito, mas, no caminho, esse sujeito encontrou com outro que vestia um casaco de couro e o sujeito com casaco de couro abriu o casaco de couro e mostrou as tetas e o outro sujeito foi até a casa de Margie e disse que não poderia mais ir ao encontro, porque esse sujeito, vestindo um casaco de couro, havia lhe mostrado as tetas..."

Carl ergueu sua cerveja. Era bom voltar a escrever.

Lembra de Pearl Harbor?

Tínhamos que ir ao pátio de exercícios duas vezes por dia, no meio da manhã e no meio da tarde. Não havia muito o que fazer. As amizades entre os homens eram baseadas principalmente naquilo que os havia colocado na prisão. Como meu companheiro de cela, Taylor, disse, os molestadores de crianças e os casos de atentado ao pudor estavam na parte mais baixa da sociedade carcerária, enquanto os grandes trapaceiros e os estelionatários estavam no topo.

Taylor não falava comigo no pátio de exercícios. Caminhava com um grande trapaceiro. Eu sentava sozinho. Alguns dos rapazes enrolavam uma camiseta para dar-lhe a forma de uma bola e jogavam com ela. Pareciam gostar disso. As instalações para o entretenimento dos internos não eram lá essas coisas.

Sentei por ali. Logo notei um amontoamento de homens. Era o jogo de dados. Levantei e fui até lá. Tinha pouco menos de um dólar em moedas. Observei alguns lances. O homem com os dados ganhou três rodadas seguidas. Senti que a sorte dele tinha acabado e o desafiei. Ele jogou os dados e perdeu. Ganhei 25 centavos.

Cada vez que alguém entrava numa maré de sorte, eu esperava até que imaginasse que sua maré tivesse recuado. Então apostava contra ele. Notei que os outros homens apostavam em todas as rodadas. Fiz seis apostas e ganhei cinco delas. Então nos fizeram marchar de volta para as nossas celas. Eu ganhara um dólar.

Na manhã seguinte, entrei no jogo mais cedo. Ganhei dois dólares e cinquenta centavos pela manhã e um dólar e 75 centavos à tarde. Quando o jogo acabou, um jovem veio até mim e disse:

– Parece que você está indo bem, senhor.

Dei ao garoto quinze centavos. Ele seguiu caminhando. Outro sujeito se aproximou de mim.

– Você deu algo para aquele filho da puta?

– Sim. Quinze centavos.

– Ele sempre ganha uma porcentagem da rodada. Não dê nada pra ele.

– Não tinha percebido.

– É. Ele ganha. A cada rodada, ele ganha um pouco.

– Vou observá-lo amanhã.

– Além disso, ele é um cretino, dos que estão aqui por atentado ao pudor. O negócio dele é mostrar o pau pras garotinhas.

– É – eu disse –, detesto esses otários.

A comida era muito ruim. Uma noite, depois da janta, mencionei ao Taylor que estava ganhando nos dados.

– Sabe – ele disse –, dá para comprar comida aqui, comida boa.

– Como?

– O cozinheiro aparece depois que apagam as luzes. A comida do diretor, a melhor. Sobremesa, tudo o que você quiser. O cozinheiro é bom. O diretor lhe deu o emprego por causa disso.

– Quanto sairia alguns jantares pra gente?

– Dê uns dez centavos pra ele. Não mais de quinze.

– Só isso?

– Se der mais, ele vai achar que você é um trouxa.

– Tudo bem. Quinze centavos.

Taylor combinou tudo. Na próxima noite, após apagarem as luzes, esperamos matando os percevejos da cama, um a um.

– Aquele cozinheiro matou dois homens. É um tremendo filho da puta, um tipo cruel. Matou um sujeito, cumpriu dez anos, saiu da prisão e dois ou três dias depois matou outro. Esta é uma prisão para crimes de penas curtas, mas o diretor o mantém aqui porque ele cozinha muito bem.

Ouvimos alguém se aproximando. Era o cozinheiro. Levantei e ele passou a comida pela grade. Caminhei até a mesa e depois voltei para a porta da cela. O filho da puta era enorme, assassino de dois homens. Dei-lhe quinze centavos.

– Obrigado, camarada, quer que eu volte amanhã à noite?

– Todas as noites.

Taylor e eu sentamos e comemos. Tudo estava em pratos. O café estava bom e quente, a carne, um rosbife, estava macia. Purê de batatas, ervilhas, biscoitos, molho de carne, manteiga e torta de maçã. Havia cinco anos que não comia tão bem.

– O cozinheiro estuprou um marinheiro outro dia. Deixou-o tão mal que o marinheiro não podia caminhar. Tiveram que hospitalizá-lo.

Enchi a boca de purê e ervilhas.

– Você não precisa se preocupar – disse Taylor. – Você é tão feio que ninguém o estupraria.

– Estava mais preocupado em conseguir um pouco de sexo.

– Bem, vou apontar os putos. Alguns têm dono e outros não.

– A comida está ótima.

– Porra, muito boa. Como eu ia dizendo, há dois tipos de putos por aqui. Os que chegam como putos e os que viram putos aqui dentro. Nunca tem putos suficientes para todo mundo, então os garotos têm que criar alguns extras para satisfazer suas necessidades.

– Isso está bem.

– Os que viraram putos na prisão são normalmente um pouco agressivos por causa das surras que levam. Resistem no começo.

– É mesmo?

– Sim. Até que decidem que é melhor viver como um puto do que morrer como virgem.

Terminamos nossa janta, fomos para nossos beliches, lutamos contra os percevejos e tentamos dormir.

Continuei a ganhar nos dados todos os dias. Apostava mais pesado e mesmo assim ganhava. A vida na prisão estava ficando cada vez melhor. Um dia me disseram para não ir ao pátio de exercícios. Dois agentes do FBI vieram me visitar. Fizeram algumas perguntas, então um deles disse:

– Nós o investigamos. Você não precisa ir a julgamento. Será levado ao centro de alistamento. Se o exército o aceitar, você entrará para o exército. Se o rejeitarem, voltará à vida civil.

– Quase gosto daqui, da prisão – eu disse.

– Sim, você parece estar se dando bem por aqui.

– Sem tensão – eu disse –, sem aluguel, sem contas, sem brigas com namoradas, sem impostos, sem placas de licença, sem despesas com comida, sem ressacas...

– Continue dando uma de espertinho, vamos dar um jeito em você.

– Ah, merda – eu disse. – Estou só brincando. Finjam que eu sou Bob Hope.

– Bob Hope é um bom americano.

– Eu também seria se tivesse aquela grana toda.

– Continue tagarelando. Podemos transformar sua vida num inferno.

Não respondi. Um dos sujeitos tinha uma maleta. Ele se levantou primeiro. O outro o seguiu e os dois saíram.

Deram a todos nós um saco com almoço para levar e nos colocaram em uma caminhonete. Estávamos em vinte ou 25. Os rapazes haviam acabado de tomar o café da manhã uma hora e meia atrás, mas todos já tinham o saco com o almoço. Não era ruim: um sanduíche com molho bolonhesa, um sanduíche com manteiga de amendoim e uma banana podre. Dei meu almoço para os outros. Estavam muito quietos. Nenhum deles fez piada. Olhavam reto para frente. A maioria deles eram negros ou pardos. E todos eram grandes.

Passei no teste físico, então fui ver o psiquiatra.

– Henry Chinaski?

– Sim.

– Sente-se.

Sentei.

– Você acredita na guerra?

– Não.

– Está disposto a ir a guerra?

– Sim.

Ele me olhou. Baixei o olhar para os meus pés. Ele parecia estar lendo um maço de papéis à sua frente. Demorou vários minutos. Quatro, cinco, seis, sete minutos. Então falou:

– Escute, darei uma festa na próxima quarta-feira à noite na minha casa. Irão médicos, advogados, artistas, escritores, atores, toda essa gente. Posso ver que você é um homem inteligente. Quero que vá a minha festa. Virá?

– Não.

Ele começou a escrever. Escreveu e escreveu e escreveu. Imaginei como ele sabia tanto sobre mim. Eu mesmo não sabia tanto sobre mim.

Deixei que continuasse escrevendo. Eu estava indiferente. Agora que eu não podia ir à guerra, eu quase queria ir à guerra. Ainda assim, ao mesmo tempo, estava contente por ficar de fora. O doutor acabou de escrever. Senti que os tinha enganado. Minha objeção à guerra não era que eu tinha que matar alguém ou ser morto sem motivo, isso quase não me importava. O que eu objetava era que me negassem o direito de sentar em uma pequena sala e passar fome e beber vinho barato e ficar viajando, à minha maneira, para meu prazer.

Não queria ser acordado por um sujeito com um clarim. Não queria dormir em barracas com um bando de garotos americanos saudáveis, loucos por sexo, amantes de futebol, bem-nutridos, metidos a espertos, punheteiros, assustados, rosados, amáveis peidorreiros, filhinhos da mamãe, modestos, jogadores de basquete com quem eu teria de fazer amizade, com quem eu teria de me embebedar nas folgas, que me contariam dúzias de piadas sujas, previsíveis e sem graça quando eu deitasse de costas. Não queria seus cobertores que pinicam ou seus uniformes que dão coceira nem a incômoda humanidade deles. Não queria cagar no mesmo lugar nem mijar no mesmo lugar ou compartilhar a mesma puta. Não queria ver as unhas dos pés deles nem ler as cartas que receberiam de casa. Não queria aquelas bundas balançando na minha frente com todos os rapazes ombro a ombro, não queria fazer amigos, não queria fazer inimigos, eu apenas não os queria, não queria isso nem aquilo nem coisa nenhuma. Matar ou ser morto quase não me importava.

Depois de esperar duas horas sentado em um banco duro, em um túnel escuro que mais parecia uma cloaca, com um vento frio que não parava de soprar, eles me deixaram ir e eu saí caminhando na direção norte. Parei para comprar um maço de cigarros. Entrei no primeiro bar, sentei, pedi um uísque com água, tirei o celofane do maço, puxei um cigarro, acendi, peguei aquela bebida na minha mão, bebi metade do copo, traguei a fumaça, olhei meu belo rosto no espelho. Parecia estranho estar livre. Parecia estranho poder caminhar em qualquer direção que eu quisesse.

Só para me divertir, levantei e caminhei até a privada. Mijei. Era outro banheiro horrível de bar. Quase vomitei por causa do fedor. Saí, pus uma moeda no *jukebox*, sentei e ouvi a última da seleção. O fato de ser a última não a fazia nem um pouco melhor. Os caras tinham a batida, mas não tinham alma. Mozart, Bach e Bee ainda os faziam ficar em maus lençóis. Eu ia sentir falta daqueles jogos de dados e da boa comida. Pedi outra bebida. Olhei ao redor do bar. Havia cinco homens no bar e nenhuma mulher. Eu estava de volta às ruas americanas.

Pittsburgh Phill & Cia.

Um cara chamado Summerfield estava de folga, bebendo uma garrafa de vinho. Era um tipo meio bobo, eu tentava evitá-lo, mas ele estava sempre meio bêbado e pendurado na janela. Sempre me via saindo da minha casa e sempre dizia a mesma coisa:

– Hey, Hank, que tal me levar às corridas?

E eu sempre dizia:

– Uma hora dessas, Joe, hoje não.

Bem, ele continuava insistindo, pendurado na janela e meio bêbado, então um dia eu disse:

– Tudo bem, diabos, vamos...

E lá fomos nós.

Estávamos em janeiro. Em Santa Anita, e se você conhece bem aquela pista sabe do que estou falando, pode ficar realmente frio lá fora quando se está perdendo. O vento sopra vindo da neve das montanhas e nossos bolsos estão vazios e você treme e pensa na morte e nos tempos difíceis e no aluguel e em todo o resto. É um lugar bastante desagradável para perder. Pelo menos em Hollywood Park dá para voltar com um bronzeado.

Então fomos os dois. Ele tagarelou durante todo o caminho. Ele nunca tinha ido a um hipódromo. Tive de ensiná-lo a diferença entre apostar no vencedor, na posição e nos três primeiros colocados. Ele não sabia nem onde ficava a posição de largada, muito menos sobre os programas. Quando chegamos lá, ele usou o meu programa. Tive que ensiná-lo a ler as informações. Paguei sua entrada e comprei um programa das corridas para ele. Tudo que ele tinha era dois dólares. O suficiente para uma aposta.

Ficamos em pé por lá antes da primeira corrida, olhando as mulheres. Joe me contou que ele não pegava uma mulher havia cinco anos. Ele era um sujeito com uma aparência rota, um verdadeiro perdedor. Passávamos o panfleto um para o outro e olhávamos as mulheres, e então Joe disse:

– Por que o cavalo número seis paga catorze para um? Me parece o melhor.

Tentei explicar a ele por que dizia ali que o cavalo pagava quatorze para um e que o número tinha relação com os outros cavalos, mas ele não me ouvia.

– Realmente me parece o melhor. Não consigo entender. Tenho que apostar nesse animal.

– Os dois dólares são seus, Joe – eu disse –, e eu não vou emprestar nenhum dinheiro depois que você perder esse.

O nome do cavalo era Red Charley e se tratava de um animal com uma aparência realmente muito triste. Veio para o desfile de apresentação com quatro ataduras. Seu valor pulou para dezoito para um, quando olharam para ele. Apostei dez dólares na vitória do cavalo que logicamente seria o melhor candidato, Bold Latrine*, que sofrera uma pequena queda na classificação, mas com bons resultados anteriores, um jóquei esperto e o segundo melhor treinador. Achei que sete para dois era uma boa cotação para esse cavalo.

Era uma corrida de uma milha e um quarto. Red Charley estava cotado em vinte para um quando foi dada largada, e ele saiu em primeiro, era impossível confundi-lo com os outros devido às suas ataduras, e o garoto abriu quatro corpos de diferença para o segundo colocado na primeira volta. Deve ter pensado que estava em uma corrida de quarto de milha. O jóquei tinha apenas duas vitórias em quarenta corridas e podia se ver por quê. Ele tinha seis corpos de diferença na reta. A espuma escorria pelo pescoço de Red Charley e se parecia muito com creme de barbear.

No começo da última curva, os seis corpos de vantagem tinham diminuído para três e todo o grupo estava se

---

* Algo como Latrina Ousada. (N.T.)

aproximando dele. No começo da reta final, Red Charley tinha apenas um corpo e meio de vantagem sobre o meu cavalo, Bold Latrine se aproximava por fora. Parecia que eu ia ganhar. Na metade da reta final eu estava a um pescoço de ganhar. Mais um ataque eu ganharia. Mas correram todo o resto do caminho até a linha de chegada dessa forma. Red Charley ainda tinha um pescoço de vantagem na chegada. Pagou 42,80.

– Tive a impressão de que ele era o melhor – disse Joe, afastando-se em direção ao guichê para receber seu dinheiro.

Quando ele voltou, pediu mais uma vez o programa. Olhou os competidores.

– Por que o Big H paga seis para um? – me perguntou. – Parece o melhor.

– *Pode* parecer o melhor para *você* – eu disse –, mas no entendimento dos apostadores e dos estatísticos experientes, profissionais de verdade, ele paga seis para um.

– Não se irrite, Hank. Sei que não sei nada sobre esse jogo. Só quero dizer que, para mim, ele deveria ser o favorito. Vou apostar nele de qualquer forma. Também posso apostar na vitória do dez.

– É o seu dinheiro, Joe. Você teve sorte na primeira corrida, o jogo não é fácil.

Bem, Big H ganhou e pagou 14,40. Joe começou a se pavonear. Lemos o programa no bar e ele nos pagou umas bebidas e deu um dólar de gorjeta ao *barman*. Enquanto saíamos do bar, ele piscou para o *barman* e disse:

– O próximo páreo já é de Barney's Mole.

Barney's Mole estava cotado em seis para cinco, então não imaginei que esse fosse um anúncio tão significativo. Ao fim do páreo, Barney's Mole ainda rendeu algum dinheiro. Pagou quatro dólares e vinte centavos e Joe saiu com um lucro de vinte dólares na vitória.

– Dessa vez – ele me falou – acertaram o cavalo favorito.

De nove corridas, Joe acertou oito vencedores. Na viagem de volta, ele ficou se perguntando como havia perdido a sétima corrida.

– Blue Truck parecia de longe o melhor. Não entendo como chegou apenas em terceiro.

– Joe, você ganhou oito de nove corridas. Isso é sorte de principiante. Você não faz ideia de como esse jogo é difícil.

– Me parece fácil. Basta escolher o vencedor e receber o dinheiro.

Não falei com ele durante o resto do percurso. Naquela noite ele bateu à minha porta e trazia uma garrafa de uísque e o boletim de apostas. Ajudei-o com a garrafa, enquanto ele lia o programa e me dizia todos os nove vencedores das corridas do dia seguinte e por que ganhariam. Tínhamos entre nós um verdadeiro especialista. Sei como as corridas sobem à cabeça de um homem. Uma vez acertei dezessete vezes seguidas e estava prestes a comprar casas ao longo da costa e começar um negócio de escravas brancas para proteger meus lucros da receita federal. Veja a que grau de loucura esse negócio pode chegar.

Mal podia esperar para levar Joe às corridas no dia seguinte. Queria ver a sua cara quando todas as suas previsões falhassem. Cavalos eram animais feitos de carne. Eram falíveis. Como diziam os velhos apostadores:

– Há doze maneiras de perder e apenas uma de ganhar.

Tudo bem, não foi assim que aconteceu. Joe ganhou sete de nove... favoritos, azarões, alguns com preços médios. E ele resmungou durante todo o caminho de volta sobre as duas corridas que perdera. Ele não podia entender. Não falei com ele. O filho da puta podia fazer tudo certo, mas as probabilidades o pegariam. Começou a me falar de como eu estava apostando errado e qual era a maneira certa de apostar. Dois dias nas pistas e ele era um especialista. Eu apostava há vinte anos e ele me dizendo que eu não sabia nada sobre o assunto.

Fomos às corridas toda a semana e Joe continuava ganhando. Tornou-se tão insuportável que eu não o tolerava mais. Comprou um terno novo e um quepe, camisa nova e sapatos e começou a fumar cigarros de cinquenta centavos. Disse ao pessoal da assistência social que agora ele era um autônomo e que não precisava mais do dinheiro deles. Joe enlouquecera. Deixou um bigode crescer e comprou um relógio de pulso e um anel muito caro. Na terça-feira seguinte, vi-o dirigir seu próprio carro até o hipódromo, um Caddie preto, modelo 69. Abanou para mim de seu carro e bateu as cinzas de seu cigarro. Não falei com ele durante aquele dia no hipódromo. Ele estava no clube. Quando ele bateu em minha porta naquela noite, tinha a garrafa de uísque de sempre e uma loira alta. Uma loira jovem, bem-vestida, bem-arrumada, tinha um belo corpo e um belo rosto. Entraram juntos.

– Quem é esse velho vagabundo? – ela perguntou a Joe.

– Esse é o meu velho amigo, Hank – ele lhe disse. – A gente se conheceu quando eu era pobre. Ele me levou ao hipódromo um dia.

– Ele não tem mulher?

– O velho Hank não vê uma mulher desde 1965. Escuta, que tal arranjarmos a Big Gertie para ele?

– Nem fodendo, Joe, Big Gertie não ficaria com ele! Olha, ele está coberto de trapos.

– Tenha compaixão, querida, ele é meu amigo. Sei que ele não parece muita coisa, mas nós dois começamos juntos. Sou um sujeito sentimental.

– Bem, Big Gertie não é sentimental, ela gosta de classe.

– Olha, Joe – eu disse –, esqueça a mulher. Apenas sente-se com o boletim das corridas e vamos beber um pouco e depois me dê alguns vencedores para amanhã.

Foi isso que Joe fez. Bebemos e ele disse quais seriam os vencedores. Escreveu nove cavalos para mim em um pedaço de papel. Sua mulher, Big Thelma... bem, Big Thelma apenas me olhava como se eu fosse um cagalhão de cachorro no gramado de alguém.

Aqueles nove cavalos renderam oito vitórias no dia seguinte. Um pagou 62,60 dólares. Não podia entender. Naquela noite, Joe veio com uma outra mulher. Era ainda mais bonita. Sentou com a garrafa e o boletim e escreveu em um papel mais nove cavalos.

Então ele me disse:

– Escuta, Hank, vou me mudar. Encontrei um bom apartamento de luxo bem ao lado do hipódromo. O tempo de deslocamento de ida e de volta às corridas é mínimo. Vamos, querida. A gente se vê por aí, meu velho.

Sabia que esse era o fim. Meu amigo estava me despachando. No dia seguinte, apostei pesado naqueles nove cavalos. Ganhei sete. Reli o programa mais uma vez, quando cheguei em casa, tentando entender por que ele escolhera os cavalos que escolheu, mas parecia não haver nenhum método compreensível. Algumas das escolhas eram realmente intrigantes.

Não voltei a ver Joe pelo resto da temporada, exceto uma vez. Vi-o entrar no clube com duas mulheres. Joe estava gordo e rindo. Vestia um terno de duzentos dólares e usava um anel de diamante no dedo. Perdi em todas as nove corridas daquele dia.

Passaram-se dois anos. Eu estava em Hollywood Park e era um dia particularmente quente, uma quinta-feira e, na sexta corrida eu, por acaso, acertei um vencedor que pagou 26,80. Enquanto eu caminhava para o guichê para receber o dinheiro, ouvi sua voz atrás de mim:

– Ei, Hank! Hank!

Era Joe.

– Jesus Cristo, homem – ele disse –, como é bom ver você!

– Olá, Joe...

Ainda usava seu terno de duzentos dólares em todo aquele calor. O resto de nós estava em camisas de manga. Ele precisava barbear-se e seus sapatos estavam gastos e o terno estava amassado e sujo. O diamante se fora, e seu relógio de pulso também.

– Me dê um cigarro, Hank.

Dei-lhe um cigarro e quando ele o acendeu, notei que suas mãos tremiam.

– Preciso de uma bebida, cara – ele me disse.

Levei-o para o bar e bebemos alguns copos de uísque. Joe estudou o programa.

– Escute, parceiro, já apontei vários vencedores para você, não é mesmo?

– Claro, Joe.

Ficamos ali, olhando o programa.

– Agora, veja essa corrida – disse Joe. – Presta atenção ao Black Monkey. Vai ser uma vitória fácil, Hank. É garantido. E paga oito pra um.

– Gosta das probabilidades dele, Joe?

– Ele vai ganhar, parceiro. Vai ganhar frouxo.

Fizemos nossas apostas no Black Monkey e fomos assistir a corrida. Ele acabou em sétimo.

– Não entendo – disse Joe. – Olha, me empreste mais dois dólares, Hank. Siren Call na próxima, não tem como perder. De jeito nenhum.

Siren Call chegou em quinto, mas isso não ajuda muito quando se está apostando no vencedor. Joe conseguiu mais dois dólares de mim para a nona corrida e seu cavalo perdeu também. Joe me disse que não tinha mais carro e perguntou se eu me importava em lhe dar uma carona para casa.

– Você não vai acreditar nisso – ele me disse –, mas estou de volta à assistência social.

– Acredito, Joe.

– Mas vou dar a volta por cima. Sabe, Pittsburgh Phill faliu pelo menos meia dúzia de vezes. Ele sempre dava a volta por cima. Seus amigos tinham fé nele. Emprestavam dinheiro.

Quando o deixei em casa, descobri que ele morava em uma pensão a quatro quarteirões de onde eu morava. Nunca me mudei. Quando Joe desceu do carro ele disse:

– Tenho uma excelente carta na manga para amanhã. Você vai?

– Não tenho certeza, Joe.

– Se for, me avisa.

– Claro, Joe.

Naquela noite ouvi uma batida em minha porta. Eu conhecia a batida de Joe. Não atendi. A televisão estava ligada, mas não atendi. Segui deitado na cama, bem parado. Ele continuou batendo.

– Hank! Hank! Está aí? EI, HANK!

Então ele realmente bateu com força na porta, o filho da puta. Parecia fora de si. Bateu e bateu. Finalmente parou. Escutei-o se afastar pelo corredor. Então ouvi a porta de entrada do prédio se fechar. Levantei, desliguei a televisão e fui até a geladeira, fiz um sanduíche de presunto e queijo, abri uma cerveja. Então me sentei com a comida, abri o programa do dia seguinte e comecei a olhar a primeira corrida, um prêmio de cinco mil dólares para potros e capões com mais de três anos. Gostei do cavalo número oito. O boletim o dava como cinco para um. Apostaria nele até de olhos fechados.

Dr. Nazi

Bem, sou um homem com muitos problemas e suponho que em sua maioria sejam criados por mim mesmo. Estou falando de problemas com mulheres, jogo, hostilidade contra grupos de pessoas, e, quanto maior o grupo, maior a hostilidade. Dizem que sou negativo, sombrio e taciturno.

Sempre me lembro da mulher que me gritou assim:

– Você é tão negativo, porra! A vida pode ser bonita!

Suponho que possa e especialmente com menos gritaria. Mas quero falar de meu médico. Não vou a psiquiatras. Psiquiatras não valem nada e estão muito satisfeitos consigo mesmos. Mas um bom médico está sempre de saco cheio e/ou louco, e, portanto, muito mais interessante.

Fui ao consultório do dr. Kiepenheur porque era o mais perto. Minhas mãos estavam estourando com pequenas bolhas brancas... um sinal, imaginei, da minha ansiedade presente ou possivelmente câncer. Eu usava luvas grossas para que as pessoas não ficassem olhando. E minhas mãos ardiam dentro das luvas, enquanto eu fumava dois maços de cigarro por dia.

Entrei no consultório do doutor. Minha consulta era a primeira. Sendo o homem ansioso que eu era, estava trinta minutos adiantado, pensando no câncer. Caminhei pela sala de espera, olhando para o escritório. Ali estava uma enfermeira-recepcionista agachada no chão com o seu uniforme branco e justo, seu vestido subira quase até os quadris, coxas grossas e potentes apareciam através da meia-calça de *nylon* apertada. Esqueci completamente do câncer. Ela não me ouvira e eu olhava suas pernas e coxas desveladas, apreciava aquela bunda deliciosa com meus olhos. Ela estava secando água do chão, a privada havia transbordado e ela dizia palavrões, de modo passional, e ela era rosa e marrom e cheia de vida e desvelada e eu a encarava.

Ela olhou para cima.

– Sim?

– Vá em frente – eu disse –, não deixe que eu a atrapalhe.

– É a privada – ela disse –, vive transbordando.

Ela continuou secando e eu continuei olhando por cima da revista *Life*. Finalmente ela se levantou. Caminhei até o sofá e me sentei. Ela revisou a agenda de consultas.

– Você é o sr. Chinaski?

– Sim.

– Por que não tira as luvas? Está quente aqui.

– Prefiro não tirá-las, se não se importa.

– O dr. Kiepenheuer logo estará aqui.

– Tudo bem. Posso esperar.

– Qual é o seu problema?

– Câncer.

– Câncer?

– Sim.

A enfermeira desapareceu, e eu li a *Life* e depois outro exemplar da *Life* e então uma *Sports Illustrated* e em seguida fiquei sentado, olhando as pinturas de paisagens marítimas e terrestres pregadas na parede. Logo uma música de saxofone surgiu de algum lugar. Então, subitamente, todas as luzes piscaram, então mais uma vez, e imaginei se haveria alguma maneira de estuprar a enfermeira e não ser preso, quando o médico entrou. Ignorei-o e ele me ignorou, de modo que ficamos quites.

Ele me chamou para seu escritório. Estava sentado em um banquinho e me olhou. Tinha uma cara amarela e cabelos amarelados e seus olhos eram opacos. Ele estava morrendo. Devia ter uns 42 anos. Vi-o e lhe dei seis meses de vida.

– Por que as luvas? – ele perguntou.

– Sou um homem sensível, doutor.

– É?

— Sim.
— Então devo lhe informar que eu já fui nazista.
— Tudo bem.
— Não se importa de eu já ter sido nazista?
— Não, não me importo.
— Fui capturado. Eles me levaram pela França em um vagão de trem com as portas abertas, e as pessoas ficavam ao longo do caminho e atiravam bombas de fedor e pedras e todo tipo de lixo em nós... ossos de peixe, plantas mortas, excremento, tudo o que se possa imaginar.

Então o doutor me falou de sua esposa. Ela estava tentando lhe arrancar o couro. Uma tremenda cadela. Queria toda a grana dele. A casa. O jardim. A casa de verão. O jardineiro também, provavelmente, se já não o tinha. E o carro. E uma pensão. Além de uma grande quantia em dinheiro. Mulher horrível. Ele trabalhava tão duro. Cinquenta pacientes por dia a dez dólares por cabeça. Quase impossível sobreviver. E aquela mulher. Mulher. Sim, mulher. Ele decompôs a palavra para mim. Não lembro se ele disse mulher ou fêmea ou outra coisa, mas ele decompôs a palavra para mim em latim e a dividiu para me mostrar qual era a raiz... em latim: mulheres eram basicamente insanas.

Enquanto ele falava sobre a insanidade das mulheres, comecei a me sentir bem com o doutor. Minha cabeça sinalizava em concordância.

Subitamente ele me mandou para a balança, me pesou, então auscultou meu coração e meu peito. Tirou rudemente as minhas luvas, lavou minhas mãos com algum tipo de merda e abriu as bolhas com uma lâmina, ainda falando sobre o rancor e a vingança que todas as mulheres carregavam em seus corações. Era glandular. As mulheres eram comandadas por suas glândulas; os homens, por seus corações. Era por isso que apenas os homens sofriam.

Disse que eu deveria lavar as mãos regularmente e jogar as malditas luvas fora. Falou um pouco mais sobre as mulheres e sua esposa e então fui embora.

O problema seguinte foram vertigens que me causavam desmaios. Mas só me acontecia quando eu estava em pé em alguma fila. Comecei a ficar aterrorizado de ter que ficar em qualquer fila. Era insuportável.

Descobri que na América e provavelmente em todos os outros lugares, tudo se resumia a ficar na fila. Fazíamos isso em toda parte. Carteira de motorista: três ou quatro filas. Hipódromo: filas. Cinema: filas. Mercado: filas. Eu odiava filas. Senti que devia haver uma maneira de evitar as filas. Então a resposta me iluminou. Ter mais atendentes. Sim, essa era a solução. Dois atendentes para cada pessoa. Três atendentes. Deixem os atendentes fazerem fila.

Sabia que as filas estavam me matando. Não podia aceitá-las, mas todo mundo aceitava. Todo mundo era normal. A vida era bela para eles. Podiam ficar na fila sem sentir dor. Podiam ficar na fila para sempre. Eles até mesmo gostavam de ficar na fila. Conversavam e se mostravam os dentes e sorriam e flertavam uns com os outros. Não tinham mais nada para fazer. Não conseguiam pensar em mais nada para fazer. E eu tinha que olhar para suas orelhas e bocas e pescoços e pernas e bundas e narinas, tudo aquilo. Podia sentir raios de morte emanando de seus corpos, como vapores e, ouvindo suas conversas, eu sentia vontade de gritar:

– *Jesus Cristo, alguém me ajude! Tenho que sofrer desta forma só para comprar um quilo de hambúrger e um pedaço de pão de centeio?*

A tontura vinha, e eu espichava e afastava minhas pernas para evitar cair no chão, o supermercado girava e também as caras dos atendentes do supermercado com seus bigodes dourados e marrons, seus olhos alegres e espertos, todos chegarão a gerentes de supermercado um dia, com suas caras esfoliadas e contentes, comprando casas em Arcádia e trepando à noite com suas esposas loiras, pálidas e graciosas.

Marquei novamente uma consulta com o doutor. Recebi o primeiro horário. Cheguei meia hora mais cedo e a privada estava consertada. A enfermeira estava tirando o pó do escritório. Ela se curvou e se endireitou e se curvou um pouco e então se curvava para a direita e então se curvava para a esquerda e virou a bunda para mim e se curvou. O uniforme branco se contraía e subia, escalava, se erguia; aqui estava um joelho com covinhas, lá uma coxa, aqui um quadril, lá o corpo inteiro. Sentei e abri um exemplar da *Life*.

Ela parou de tirar o pó e pôs a cabeça para fora e me sorriu:

– Livrou-se das luvas, sr. Chinaski.

– Sim.

O doutor entrou, parecendo estar um pouco mais perto da morte, acenou com a cabeça, levantei e o segui para seu consultório.

Ele sentou em seu banco.

– Chinaski, como vai?

– Bem, doutor...

– Problema com as mulheres?

– Bem, é claro, mas...

Ele não me deixava terminar minhas frases. Tinha perdido mais cabelo. Seus dedos se contraíam. Parecia não ter mais fôlego. Mais magro. Era um homem desesperado.

Sua esposa o estava esfolando. Tinham ido ao tribunal. Ela lhe deu um tapa no tribunal. Ele gostou disso. Ajudou no caso. Eles viram quem era aquela cadela. De qualquer forma, não se saiu tão mal. Ela lhe deixara alguma coisa. É claro, sabe quanto custam os advogados. Desgraçados. Já reparou nos advogados? Quase sempre gordos. Especialmente ao redor do rosto.

– De qualquer forma, caralho, ela me ferrou. Mas tenho um pouco guardado. Quer saber quanto custa uma tesoura como essa? Olha bem. Latão com um parafuso. Dezoito e cinquenta. Meu Deus, e eles odiavam os nazistas. O que é um nazista comparado a isso?

– Não sei, doutor. Já disse que sou um homem confuso.

– Já tentou um psiquiatra?

– Não adianta. São idiotas, sem imaginação. Não preciso de psiquiatras. Ouvi dizer que eles acabam molestando sexualmente suas pacientes. Eu gostaria de ser um psiquiatra, se eu pudesse foder todas as mulheres. Fora isso, o trabalho deles é inútil.

Meu doutor se endireitou no seu banco. Ele amarelou e acinzentou um pouco mais. Um gigantesco espasmo percorreu seu corpo. Estava quase acabado. Um bom camarada, apesar de tudo.

– Bem, me livrei da minha esposa – ele disse. – Está acabado.

– Bom – eu disse –, me conte de quando você era nazista.

– Bem, não tínhamos muita escolha. Eles simplesmente nos faziam entrar. Eu era jovem. Quero dizer, porra, o que se pode fazer? Só se pode viver em um país por vez. Vai-se à guerra e, se não acaba morrendo, acaba em um vagão aberto com pessoas atirando merda em você...

Perguntei-lhe se ele trepava com sua enfermeira gostosa. Ele sorriu gentilmente. O sorriso era um sim. Então me disse que desde o divórcio, bem, vinha se encontrando com uma de suas pacientes e ele sabia que não era ético fazer isso com pacientes...

– Não, acho que está tudo bem, doutor.
– É uma mulher muito inteligente. Casei com ela.
– Tudo bem.
– Agora estou feliz... mas...

Então ele esticou suas mãos abertas, lado a lado, com as palmas para cima...

Contei-lhe sobre o meu medo de filas. Ele me deu uma receita de Librium.

Então fui atacado por uma furunculose na minha bunda. Estava em agonia. Amarraram-me com tiras de couro, esses sujeitos podem fazer o que quiserem com você, me deram uma anestesia local e me abriram o cu. Virei minha cabeça e olhei para o meu doutor e disse:

– Há alguma possibilidade de que eu mude de ideia?

Três rostos me olhavam de cima. O do médico e outros dois. Ele para cortar. Ela para as bandagens. Um terceiro metendo agulhas.

– Você não pode mudar de ideia – disse o doutor e esfregou suas mãos e arreganhou os dentes e começou...

A última vez que o vi foi por causa de algo relacionado à cera em meus ouvidos. Eu podia ver seus lábios se mexendo, tentei entender, mas não podia ouvir. Eu sabia, por seus olhos e por sua cara, que eram tempos difíceis para ele outra vez e assenti com a cabeça.

Fazia calor. Eu estava um pouco tonto e pensei, bem, sim, ele é um bom camarada, mas por que não me deixa falar sobre os meus problemas, isso não é justo, também tenho problemas e tenho que pagá-lo.

Por fim, meu doutor se deu conta de que eu não estava ouvindo nada. Pegou algo que parecia com um extintor de incêndio e meteu em meus ouvidos. Mais tarde me mostrou grandes pedaços de cera... era a cera, ele disse. E apontou para um balde. Parecia realmente com feijões requentados.

Levantei da mesa, paguei-o e me fui. Ainda não podia ouvir nada. Não me sentia particularmente mal nem bem e imaginei que doença eu lhe traria da próxima vez, o que ele faria a respeito disso, o que ele faria com respeito à sua filha de dezessete anos que estava apaixonada por outra mulher e que iria casar com ela, e me ocorreu que *todo mundo* sofria continuamente, incluindo aqueles que fingiam não sofrer. Parecia-me que essa era uma boa descoberta. Olhei para o garoto que vendia jornal e pensei, hmmmm, hmmmm, e olhei para a próxima pessoa que passou e pensei hmmmm, hmmmm, hmmmmmm, e no semáforo perto do hospital, um carro novo e preto dobrou a esquina e atropelou uma bela garota que vestia um minivestido azul, e ela era loira e tinha faixas azuis no cabelo e se sentou na rua, ao sol, e um filete escarlate correu de seu nariz.

Cristo de patins

Era um escritório pequeno no terceiro andar de um velho prédio não muito distante do rinque de patinação. Joe Mason, presidente da Rollerworld Inc., estava sentado atrás da escrivaninha gasta que ele alugou junto com o escritório. Havia inscrições entalhadas na parte de cima e dos dois lados: "Nascido para morrer". "Alguns homens compram o que leva os outros à forca." "Sopa de merda." "Odeio o amor mais do que amo o ódio."

O vice-presidente, Clifford Underwood, estava sentado na única outra cadeira. Havia um telefone. O escritório cheirava a urina, mas o banheiro estava a quinze metros de distância seguindo o corredor. Havia uma janela que se abria para o beco, uma janela grossa e amarela que permitia a entrada de uma luz turva. Ambos estavam fumando cigarros e esperando.

– Que horas você combinou com ele? – perguntou Underwood.

– Nove e meia – disse Mason.

– Não importa.

Eles esperaram. Mais oito minutos. Cada um acendeu outro cigarro. Bateram à porta.

– Entre – disse Mason.

Era Monster Chonjacki, barbudo, dois metros de altura, 180 quilos. Chonjacki fedia. Começou a chover. Podia-se ouvir um caminhão de carga passando por baixo da janela. Eram realmente 24 caminhões de carga carregados indo para o norte. Chonjacki continuava fedendo. Ele era a estrela dos Yellowjackets, um dos melhores patinadores sobre rodas em qualquer lado do Mississippi, 25 metros para qualquer um dos lados.

– Sente-se – disse Mason.
– Não há cadeira – disse Chonjacki.
– Arranja uma pra ele, Cliff.

O vice-presidente lentamente se levantou, assumiu todos os trejeitos de um homem prestes a peidar, mas não peidou, caminhou pela sala e se encostou contra a chuva que açoitava a janela grossa e amarela. Chonjacki colocou ambas as nádegas na cadeira, pegou e acendeu um Pall Mall. Sem filtro, Mason se inclinou por cima de sua escrivaninha.

– Você é um filho da puta e um ignorante.
– Espere um pouco, cara!
– Quer ser herói, não é mesmo, meu garoto? Fica excitado quando as garotinhas com as xerequinhas peladas gritam o seu nome? Gosta da bandeira americana? Gosta de sorvete de baunilha? Continua batendo sua punhetinha, imbecil?
– Escute aqui, Mason...
– Cale a boca! Trezentos por semana! Estou lhe pagando trezentos por semana! Quando o encontrei naquele bar, você não tinha dinheiro suficiente nem para a próxima bebida... tinha tremedeiras de bêbado e estava vivendo de sopa de cabeça de porco e repolho! Não conseguia nem amarrar os cadarços de um patins! Fiz você do nada, seu merda, do nada, e posso te mandar de volta para o nada de onde veio! No que te diz respeito, eu sou Deus! E sou um deus que não perdoa a porra dos seus pecados!

Mason fechou os dois olhos, se encostou pra trás na cadeira reclinável. Tragou seu cigarro, um pouco de cinza quente caiu em seu lábio inferior, mas ele estava brabo demais para se importar. Apenas deixou que as cinzas o queimassem. Quando as cinzas pararam de queimá-lo, continuou com seus olhos fechados e escutou a chuva. Normalmente ele gostava de ouvir a chuva. Especialmente quando estava dentro de algum lugar e o aluguel estava pago e alguma mulher não o estava deixando louco. Mas hoje a chuva não ajudou. Não apenas sentia o fedor de Chonjacki, mas sentia toda a presença dele. Chonjacki era pior do que diarreia.

Chonjacki era pior do que chato. Mason abriu seus olhos, sentou-se ereto e olhou para ele. Cristo, o que um homem tinha que fazer só para continuar vivo.

– Baby – ele disse docemente –, você quebrou duas costelas do Sonny Welborn na noite passada. Está me ouvindo?

– Escuta... – Chonjacki começou a dizer.

– Não foi uma costela. Não, não foi só uma costela. Duas. Duas costelas. Está ouvindo?

– *Mas*...

– Escute, cretino! Duas costelas! Está ouvindo? Está me ouvindo?

– Estou ouvindo.

Mason apagou seu cigarro, levantou-se da cadeira e caminhou ao redor da cadeira de Chonjacki. Chonjacki até que era bonito. Chonjacki até que era um garoto bonito. Ninguém nunca diria isso de Mason. Mason era velho. Quarenta e nove. Quase careca. Com ombros redondos. Divorciado. Quatro filhos. Dois deles na cadeia. Ainda estava chovendo. Ainda choveria por quase dois dias e três noites. O rio Los Angeles se excitaria e fingiria ser um rio de verdade.

– De pé! – disse Mason.

Chonjacki se levantou. Quando o fez, Mason afundou sua esquerda na barriga dele e quando a cabeça de Chonjacki abaixou por causa da pancada, ele a mandou de volta para cima com um golpe de direita. Então se sentiu um pouco melhor. Foi como um copo de Ovomaltine em uma manhã de janeiro fria de lascar. Caminhou pela sala e sentou-se novamente. Dessa vez não acendeu um cigarro. Acendeu seu charuto de quinze centavos. Acendeu seu charuto pós-almoço antes do almoço. Isso dá a medida de quão melhor ele se sentiu. Tensão. Não se pode deixar essa merda crescer. Seu antigo cunhado tinha morrido de uma úlcera hemorrágica. Só porque não sabia como aliviar a tensão.

Chonjacki voltou a se sentar. Mason olhou para ele.

– Isso, baby, é um *negócio*, não um esporte. Não queremos *machucar* as pessoas, entende o que quero dizer?

Chonjacki apenas continuou sentado lá, escutando a chuva. Imaginou se seu carro iria dar a partida. Sempre tinha problemas para dar a partida em seu carro quando chovia. Tirando isso, era um bom carro.

– Estou falando com você, baby, está me ouvindo?

– Oh, sim, sim...

– Duas costelas quebradas. Duas das costelas de Sonny Welborn quebradas. Ele é o nosso melhor jogador.

– Espera! Ele joga para os Vultures. Welborn joga para os Vultures. Como ele pode ser o seu melhor jogador?

– Imbecil! Nós somos donos dos Vultures!

– Você é dono dos Vultures?

– Claro, imbecil. E também dos Angels e dos Coyotes e dos Cannibals e de todos os outros times da liga, são todos nossa propriedade, todos aqueles garotos...

– Jesus...

– Não, Jesus não. Jesus não tem nada a ver com isso! Mas, espere, você me deu uma ideia, imbecil.

Mason se voltou na direção de Underwood, que ainda estava apoiado contra a chuva.

– É algo a se pensar – ele disse.

– Hein? – disse Underwood.

– Tire sua cabeça do seu pau, Cliff. Pense nisso.

– Nisso o quê?

– Cristo de patins. Infinitas possibilidades.

– É... É... Podíamos arranjar também o demônio.

– Isso é bom. Sim, o demônio.

– Podíamos até mesmo meter uma cruz na parada.

– Cruz? Não, isso é muito cafona.

Mason virou novamente até se pôr de frente para Chonjacki. Chonjacki ainda estava lá. Ele não estava surpreso. Se um macaco estivesse sentado em seu lugar, ele também não se surpreenderia. Mason já tinha visto muita coisa nesse mundo. Mas não era um macaco, era Chonjacki. Ele tinha que falar com Chonjacki. Deveres, deveres... tudo pelo aluguel, um rabo de vez em quando e um funeral decente. Cães tinham pulgas, homens tinham problemas.

– Chonjacki – ele disse –, por favor, deixe-me explicar algo a você. Está ouvindo? Você é capaz de ouvir?

– Estou ouvindo.

– Isso aqui é um negócio. Trabalhamos cinco noites por semana. Estamos na televisão. Sustentamos famílias. Pagamos impostos. Votamos. Os policiais nos dão mais multas do que a qualquer outra pessoa. Temos dores de dentes, insônia, doenças venéreas. Temos que aturar o Natal e o Ano-Novo igual a todas as outras pessoas, você entende?

– Sim.

– Até mesmo, alguns de nós, ficamos deprimidos às vezes. Somos humanos. Até eu fico deprimido. Às vezes sinto vontade de chorar à noite. Certamente senti vontade de chorar na noite passada, quando você quebrou duas costelas de Welborn...

– Ele estava me provocando, sr. Mason!

– Chonjacki, Welborn não seria capaz de arrancar um fio de pelo do sovaco esquerdo da sua avó. Ele lê Sócrates, Robert Duncan e W.H. Auden. Ele está na liga há cinco anos e não causou dano físico suficiente para ferir um passarinho...

– Ele estava entrando duro em mim, estava me perseguindo, estava gritando...

– Oh, Cristo – disse Mason suavemente. Colocou seu o charuto no cinzeiro. – Filho, já falei. Somos uma família, uma grande família. Não machucamos uns aos outros. Temos a melhor audiência de semirretardados entre todos os esportes. Atraímos a maior classe de idiotas vivos, e eles enfiam dinheiro diretamente em nossos bolsos, entende? Conseguimos atrair a nata dos cretinos, roubando-os da luta livre, de Lucille Ball e de George Putnam. Estamos com tudo e não queremos nem maldades, nem violência. Certo, Cliff?

– Certo – disse Underwood.

– Vamos fazer uma demonstração – disse Mason.

– Ok – disse Underwood.

Mason levantou-se de sua escrivaninha e se moveu em direção a Underwood.

— Seu filho da puta — ele disse. — Vou matar você. Sua mãe engole seus próprios peidos e tem uma buceta sifilítica.

— E *sua* mãe come merda de gato ensopada — disse Underwood.

Ele se afastou da janela e foi em direção a Mason. Mason deu o primeiro golpe. Underwood inclinou-se para trás contra a escrivaninha.

Mason encaixou uma gravata em seu pescoço com seu braço esquerdo, batendo na parte superior da cabeça de Underwood com seu punho direito e com o antebraço.

— As tetas da sua irmã são tão caídas que vão além da bunda e balançam na água quando ela caga — Mason disse a Underwood.

Underwood espichou um braço para trás e jogou Mason por cima de sua cabeça. Mason caiu contra a parede com um estrondo. Então se levantou, caminhou para sua escrivaninha, sentou-se na cadeira giratória, pegou seu charuto e tragou a fumaça. Continuava chovendo. Underwood voltou a se encostar contra a janela.

— Quando um homem trabalha cinco noites por semana, não pode se dar ao luxo de se lesionar, compreende, Chonjacki?

— Sim, senhor.

— Agora olhe, garoto, temos uma regra geral aqui... que é... Está ouvindo?

— Sim.

— ... que é... quando qualquer um na liga lesiona outro jogador, ele está fora do emprego, está fora da liga, na verdade, a notícia se espalha... ele entra na lista negra em todos os outros rinques de patinação na América. Talvez se dê o mesmo na Rússia e na China e na Polônia também. Conseguiu enfiar isso na sua cabeça?

— Sim.

— Então vamos deixar você se safar dessa vez, porque investimos muito tempo e dinheiro construindo a sua imagem. Você é o Mark Spitz da nossa liga, mas podemos acabar com você, assim como eles podem acabar com ele, se você não fizer exatamente o que mandamos.

— Sim, senhor.

— Mas isso não quer dizer que você deva diminuir o ritmo. Tem de agir com violência sem ser violento, entende? O truque do espelho, o coelho na cartola, a ilusão tem de ser completa. Eles amam ser enganados. Eles não sabem a verdade, porra, eles nem mesmo querem a verdade, a verdade os torna infelizes. Nós os fazemos felizes. Dirigimos carros novos e mandamos nossos filhos para a faculdade, certo?

— Certo.

— Ok, dê o fora daqui.

Chonjacki se levantou para sair.

— E garoto...

— Sim?

— Tome um banho de vez em quando.

— Quê?

— Bem, talvez não seja isso. Você usa papel higiênico suficiente quando limpa a bunda?

— Não sei. Quanto é preciso usar?

— Sua mãe não lhe ensinou?

— Quê?

— Continue limpando até não sair mais nada.

Chonjacki ficou ali, em pé, apenas olhando para ele.

— Tudo bem, pode ir agora. E, por favor, lembre-se de tudo que lhe falei.

Chonjacki saiu. Underwood caminhou até a cadeira vazia e sentou. Sacou seu charuto de quinze centavos pós-almoço e o acendeu. Os dois homens ficaram sentados ali por cinco minutos sem dizer nada. Então o telefone tocou. Mason atendeu. Ouviu e então disse:

— Oh, Tropa Escoteira Sete Meia Três? Quantos? Claro, claro, deixaremos eles entrar pagando meia-entrada. Domingo à noite. Reservaremos uma seção. Claro, claro. Oh, tudo bem...

Desligou.

Underwood não respondeu. Ficaram sentados ouvindo a chuva. A fumaça de seus charutos fazia desenhos interessantes no ar. Ficaram sentados e fumaram e ouviram a chuva e observaram os desenhos no ar. O telefone tocou outra vez e Mason fez uma careta. Underwood levantou de sua cadeira, caminhou até o telefone e o atendeu. Era a vez dele.

Um despachante de nariz vermelho

Quando conheci Randall Harris, ele estava com 42 anos e vivia com uma mulher de cabelo grisalho, uma tal de Margie Thompson. Margie estava com 45 e não era muito bonita. Naquela época, eu editava uma pequena revista chamada *Mad Fly* e tinha ido visitá-los numa tentativa de conseguir algum material de Randall.

Randall era conhecido por ser um solitário convicto, um bêbado, um homem bruto e amargo, mas seus poemas eram crus, crus e honestos, simples e selvagens. Estava escrevendo como ninguém mais fazia naquela época. Ele trabalhava como despachante em um depósito de autopeças.

Sentei de frente para Randall e Margie. Eram sete e quinze da noite e Harris já estava bêbado de cerveja. Pôs uma garrafa na minha frente. Eu tinha ouvido falar de Margie Thompson. Ela era uma comunista das antigas, uma salvadora do mundo, uma benfeitora. Alguém poderia se perguntar o que ela estava fazendo ao lado de Randall, que não se importava com nada e não fazia questão de escondê-lo.

– Gosto de fotografar merda – ele me disse –, essa é a minha arte.

Randall começou a escrever com 38 anos. Com 42, depois de três pequenos livros de contos (*A morte é uma cadela mais suja que o meu país, Minha mãe trepou com um anjo* e *Os cavalos desenfreados da loucura*), estava começando a receber o que se pode chamar de reconhecimento da crítica. Mas não ganhava grana com seus textos e disse:

– Não sou nada além de um despachante com uma depressão profunda.

Vivia em um velho casarão em Hollywood com Margie, e ele era estranho, de verdade.

– Apenas não gosto de gente – ele disse. – Sabe, Will Rogers disse uma vez: "Nunca encontrei um homem de quem não gostasse". Comigo é o contrário, nunca encontrei um homem de quem gostasse.

Mas Randall tinha senso de humor, uma capacidade de rir da dor e de si mesmo. Não havia como não gostar dele. Era um homem feio com um cabeção e uma cara amassada... apenas o nariz parecia ter escapado do achatamento generalizado.

– Não tenho osso suficiente em meu nariz, é como se fosse de borracha – ele explicava. Seu nariz era longo e muito vermelho.

Eu já ouvira histórias sobre Randall. Dizia-se que era de quebrar janelas e jogar garrafas contra as paredes. Era um bêbado terrível. Também tinha períodos em que não atendia à porta nem ao telefone. Não tinha televisão, apenas um radinho e somente ouvia música sinfônica... algo estranho para um sujeito bruto como ele.

Randall também tinha períodos em que tirava a parte de baixo do telefone e enchia com papel higiênico ao redor da campainha para que não soasse. Ficava assim por meses. Alguém poderia se perguntar por que ele tinha um telefone, afinal. Sua educação era precária, mas ele evidentemente lia boa parte dos melhores escritores.

– Bem, seu merda – ele me disse –, imagino que você esteja se perguntando o que faço ao lado dela? – e apontou para Margie.

Não respondi.

– Ela é boa de cama – ele disse – e me dá as melhores fodas a oeste de Saint Louis.

Esse era o mesmo sujeito que tinha escrito quatro ou cinco excelentes poemas de amor para uma mulher chamada Annie. Era de se pensar como tudo isso funcionava.

Margie apenas ficava sentada ali, mostrando os dentes. Ela também escrevia poesia, mas não era muito boa. Frequentava dois *workshops* por semana, o que não ajudava muito.

– Então você quer alguns poemas? – ele me perguntou.
– Sim, gostaria de olhar alguns.

Harris foi até o armário, abriu a porta e pegou alguns papéis amassados e rasgados do fundo. Entregou-os para mim.

– Escrevi esses aí na noite passada.

Então ele foi até a cozinha e voltou com mais duas cervejas. Margie não bebia.

Comecei a ler os poemas. Eram todos poderosos. Ele datilografava com a mão muito pesada, e as palavras pareciam cinzeladas no papel. A força de sua escrita sempre me surpreendia. Parecia estar dizendo todas as coisas que deveríamos dizer, mas que nunca teríamos coragem de pronunciar.

– Vou levar esses poemas – eu disse.
– Ok – ele disse. – Beba.

Quando se visitava Harris, beber era uma obrigação. Ele fumava um cigarro atrás do outro. Usava calças marrons de algodão, folgadas, dois número acima do que seria o correto, e camisas velhas que estavam sempre em frangalhos. Tinha aproximadamente um metro e oitenta de altura e pesava uns cem quilos, em grande parte decorrentes da cerveja. Tinha os ombros caídos e nos espiava por trás das pálpebras semicerradas. Bebemos por cerca de duas horas e meia, o ar estava saturado pela fumaça. Subitamente Harris se levantou e disse:

– Dê o fora daqui, seu escroto, você me dá nojo!
– Calma, Harris, calma...
– Eu disse AGORA! Escroto!

Levantei e parti com os poemas.

Voltei àquele casarão dois meses mais tarde para entregar algumas cópias da *Mad Fly* para Harris. Tinha publicado todos os dez poemas dele. Margie me deixou entrar. Randall não estava lá.

– Ele está em Nova Orleans – disse Margie –, acho que ele está tirando uma folga. Jack Teller quer publicar seu próximo livro, mas ele quer conhecer Randall antes. Teller diz que não pode editar ninguém de quem não goste. Pagou a passagem área de ida e volta.

– Randall não é o que se poderia chamar de um sujeito cativante – eu disse.

– Veremos – disse Margie. – Teller é um bêbado e um ex-presidiário. Talvez formem uma bela dupla.

Teller publicava a revista *Riftraff* e tinha seu próprio prelo. Fazia um belo trabalho. A última edição de *Riftraff* tinha a cara feia de Harris na capa mamando em uma garrafa de cerveja e trazia alguns de seus poemas.

Riftraff era amplamente reconhecida como a revista literária número um da época. Harris estava começando a ganhar mais e mais destaque. Isso acabaria se tornando uma boa chance para ele, se não a estragasse com sua língua pérfida e seus modos de bêbado. Antes de partir, Margie me disse que estava grávida... de Harris. Como eu disse, ela tinha 45 anos.

– O que ele disse quando você lhe contou?

– Pareceu indiferente.

Parti.

O livro realmente foi publicado em uma edição de dois mil exemplares, muito bem impressos. A capa era feita de cortiça importada da Irlanda. As páginas eram multicoloridas e de um papel extremamente bom, impressas em um tipo exótico e entremeadas com alguns desenhos em nanquim que o próprio Harris havia feito. A edição foi aclamada, tanto pelo livro em si quando pelo conteúdo. Mas Teller não podia pagar os *royalties*. Ele e sua esposa viviam com uma margem de lucro muito pequena. Em dez anos o livro passou a custar 75 dólares no mercado de livros raros. Enquanto isso Harris voltou para seu emprego de despachante no armazém de autopeças.

Quando fui visitá-lo novamente, quatro ou cinco meses depois, Margie se fora.

– Ela partiu há muito tempo – disse Harris. – Beba uma cerveja.

– O que aconteceu?

– Bem, depois que voltei de Nova Orleans, escrevi alguns contos. Enquanto eu estava no trabalho, ela revirou minhas gavetas. Leu algumas das minhas histórias e ficou alterada com o conteúdo delas.

– Sobre o que eram?

– Ah, sobre as minhas aventuras amorosas com algumas mulheres em Nova Orleans.

– As histórias eram verdadeiras? – perguntei.

– Como vai a *Mad Fly*? – perguntou.

A criança nasceu, uma menina, Naomi Louise Harris. Ela e a mãe viviam em Santa Mônica, e Harris dirigia até lá uma vez por semana para vê-las. Pagava pensão alimentícia e continuava bebendo sua cerveja. Depois disso, soube que ele mantinha uma coluna semanal no jornal de vanguarda *Los Angeles Lifeline*. Chamava suas colunas de *Impressões de um Maníaco de Primeira Classe*. Sua prosa era como sua poesia: indisciplinada, antissocial e preguiçosa.

Harris deixou crescer um cavanhaque e deixou seu cabelo mais comprido. Na próxima vez que o vi, estava vivendo com uma garota de 35 anos, uma ruiva bonita chamada Susan. Susan trabalhava em uma loja de material de desenho, pintava e tocava violão razoavelmente. Também bebia ocasionalmente uma cerveja com Randall, que era mais do que Margie fazia. O casarão parecia mais limpo. Quando Harris acabava uma garrafa, atirava-a numa sacola de papel, em vez de atirá-la no chão. Mas, ainda assim, era um bêbado terrível.

– Estou escrevendo um romance – ele me disse –, e às vezes arranjo alguma leitura de poesia nas universidades da região. Também tenho uma leitura marcada em Michigan e outra no Novo México. As ofertas são bem boas. Não sinto vontade de ler, mas sou um bom leitor. Dou a eles um show e um pouco de boa poesia.

Harris também estava começando a pintar. Não pintava muito bem. Pintava como uma criança de cinco anos que tivesse enchido a cara de vodca, mas dava um jeito de vender um ou dois quadros por quarenta ou cinquenta dólares. Contou-me que estava pensando em abandonar seu emprego. Três semanas depois ele realmente largou o emprego para fazer a leitura em Michigan. Já tinha usado as férias a que tinha direto para fazer a viagem a Nova Orleans.

Lembrei de uma vez em que ele me havia prometido:

– Jamais lerei diante daqueles sanguessugas, Chinaski. Vou pra cova sem nunca fazer uma leitura pública. É pura vaidade, é se vender.

Não o lembrei dessa afirmação.

Seu romance *A morte na vida de todos os olhos sobre a face da Terra* foi publicado por uma pequena porém prestigiada editora que pagava *royalties* regularmente. As críticas foram boas, incluindo uma na *New York Review of Books*. Mas ele ainda era um bêbado terrível e brigava constantemente com Susan por causa da bebida.

Finalmente, depois de um porre homérico, em que ele se enfureceu, amaldiçoou e gritou a noite toda, Susan o deixou. Vi Randall vários dias depois que ela partira. Harris estava estranhamente quieto, quase normal.

– Eu a amava, Chinaski – ele me disse. – Não vou conseguir superar essa, meu chapa.

– Você vai conseguir, Randall. Você vai ver. Vai conseguir. O ser humano é muito mais resistente do que você pensa.

– Merda – ele disse –, espero que você esteja certo. Estou com um buraco danado no peito. As mulheres já colocaram muitos homens bons embaixo da ponte. Elas não sentem isso da forma que nós sentimos.

– Elas sentem, sim. Ela só não conseguia mais suportar as suas bebedeiras.

– Porra, homem, escrevo a maioria dos meus textos quando estou bêbado.

– É esse o segredo?

— Merda, claro que é. Sóbrio, sou apenas um despachante, e não dos melhores...

Deixei-o lá agarrado em sua cerveja.

Voltei a visitá-lo três meses mais tarde. Harris ainda estava em seu casarão. Ele me apresentou Sandra, uma loira bonita de 27 anos. Seu pai era um juiz da suprema corte, e ela era uma estudante de graduação na Universidade do Sul da Califórnia. Além de ter um corpo bem-torneado, tinha certa sofisticação e classe, algo que faltara nas outras mulheres de Randall. Estava bebendo uma garrafa de vinho italiano.

O cavanhaque de Randall tinha se transformado em uma barba e seu cabelo estava ainda mais comprido. Suas roupas eram novas e da última moda. Estava usando sapatos de quarenta dólares, um relógio de pulso novo e seu rosto parecia mais magro, suas unhas, limpas... mas seu nariz ainda enrubescia à medida que ia bebendo o vinho.

— Randall e eu vamos nos mudar para West L.A. Este fim de semana – ela me disse. – Esse lugar é imundo.

— Escrevi muitas coisas boas aqui – ele disse.

— Randall, querido – ela disse –, não é o *lugar* que escreve, é *você*. Acho que podemos lhe arranjar um emprego de professor para lecionar três dias por semana.

— Não sei ensinar.

— Querido, você pode lhes ensinar *tudo*.

— Merda – ele disse.

— Estão pensando em fazer um filme baseado no livro de Randall. Vimos o roteiro. É um belo roteiro.

— Um filme? – perguntei.

— A probabilidade é baixa – disse Harris.

— Querido, estão trabalhando nele. Tenha um pouco de fé.

Bebi outro cálice de vinho com eles e então parti. Sandra era uma garota bonita.

Não recebi o endereço de Randall em West L.A. E não fiz nenhuma tentativa de localizá-lo. Cerca de um ano depois, li uma resenha do filme *Flor no cu do inferno*. Era baseado em seu romance. Era uma crítica favorável e Harris chegou mesmo a atuar em um pequeno papel.

Fui assistir. Tinham feito um bom trabalho em cima do livro. Harris parecia um pouco mais austero do que quando o havia visto pela última vez. Decidi encontrá-lo. Depois de um tempo dando uma de detetive, bati à porta de sua cabana em Malibu uma noite por volta das nove. Randall atendeu.

– Chinaski, seu cachorro velho – ele disse. – Entre.

Uma bela garota estava sentada no sofá. Parecia ter aproximadamente dezenove anos, simplesmente irradiava uma beleza natural.

– Essa é Karilla – ele disse.

Eles estavam bebendo uma garrafa de vinho francês, dos caros. Sentei com eles e bebi um cálice. Tomei vários cálices. Outra garrafa apareceu e conversamos calmamente. Harris não ficou bêbado e inoportuno e não pareceu fumar muito.

– Estou trabalhando numa peça para a Broadway – ele me disse. – Dizem que o teatro está morrendo, mas eu tenho algo para eles. Um dos principais produtores está interessado. Estou finalizando o último ato agora. É um gênero interessante. Sempre fui craque nos diálogos, você sabe.

– Sim – eu disse.

Fui embora lá pelas onze e meia naquela noite. A conversa tinha sido agradável... As têmporas de Harris começavam a exibir um respeitável tom grisalho, e ele não disse "merda" mais do que quatro ou cinco vezes.

A peça *Atire em seu pai, atire em seu Deus, livre-se do desembaraço* era um sucesso. Estava entre as peças recordistas em tempo de exibição na Broadway. Tinha de tudo: algo para os revolucionários, algo para os reacionários, algo para os que amavam comédia, para os que amavam drama, tinha até mesmo algo para os intelectuais e, ainda assim, fazia sentido. Randall Harris se mudou de Malibu para uma casa maior em Hollywood Hills. Agora é possível saber notícias dele pelos tablóides.

Após algumas dificuldades, encontrei a localização de sua casa em Hollywood Hills, uma mansão de três andares com vista para as luzes de Los Angeles e Hollywood.

Estacionei, saí do carro e caminhei pela passagem que levava até a porta da frente. Era perto das oito e meia da noite, a temperatura estava baixa, quase fazia frio; a lua estava cheia e o ar fresco e limpo.

Toquei a campainha. Pareceu-me uma longa espera. Finalmente a porta se abriu. Era o mordomo.

– Sim, senhor? – me perguntou.

– Vim para ver Randall Harris, da parte de Henry Chinaski – eu disse.

– Um momento, por favor, senhor.

Ele fechou a porta em silêncio e esperei. Mais uma vez, um longo intervalo. Então o mordomo voltou.

– Sinto muito, senhor, mas o sr. Harris não pode ser perturbado neste momento.

– Oh, tudo bem.

– Gostaria de deixar uma mensagem, senhor?

– Uma mensagem? Sim, dê-lhe os meus "parabéns".

– "Parabéns"? Isso é tudo?

– Sim, isso é tudo.

– Boa noite, senhor.

– Boa noite.

Voltei para o meu carro, entrei. Dei a partida e comecei a longa viagem descendo as colinas. Tinha comigo aquela antiga cópia da *Mad Fly* que queria que ele autografasse. Era a cópia com dez poemas de Randall Harris. Ele provavelmente estava ocupado. Talvez, pensei, se eu mandasse pelo correio a revista com um envelope selado de resposta, ele assinasse.

Eram apenas nove da noite. Havia tempo para ir a um outro lugar.

O diabo estava cheio de tesão

Bem, eu tinha acabado de discutir com Flo e não estava com vontade de me embebedar nem de ir a uma casa de massagem. Então entrei no carro e segui para oeste, em direção à praia. Estava anoitecendo e dirigi lentamente. Cheguei ao píer, estacionei e caminhei por ali. Parei no fliperama, joguei um pouco, mas o lugar fedia a mijo e acabei saindo. Eu estava velho demais para andar no carrossel, então passei também essa atração. Os tipos de sempre vagavam pelo píer... uma multidão sonolenta e indiferente.

Foi quando notei um som de rugido vindo de um prédio nas proximidades. Uma fita ou uma gravação, sem dúvida. Na frente do local, havia um homem anunciando:

– Sim, senhoras e senhores, venham, aqui dentro... nós realmente capturamos o demônio! Ele está em exibição para que vocês possam ver com seus próprios olhos! Pensem, por apenas 25 centavos, uma moeda, vocês podem realmente ver o diabo... o maior perdedor de todos os tempos! O fracassado da única revolução que já tentaram fazer no paraíso!

Bem, eu estava pronto para um pouco dessa comédia, ao menos para compensar o que Flo me fazia passar. Paguei os 25 centavos e entrei com seis ou sete outros idiotas de toda espécie. Mantinham o pobre-diabo em uma jaula. Haviam-no pintado de vermelho e ele tinha algo na boca que fazia com que, ao bufar, pequenas colunas de fumaça e labaredas de fogo se erguessem. Não estava fazendo um show lá muito bom. Estava apenas caminhando em círculos, repetindo sempre a mesma coisa:

– Porra do caralho! Tenho que sair daqui! Como infernos acabei entrando nessa?

Bem, preciso dizer que ele realmente parecia perigoso. Subitamente, fez seis piruetas para trás. Na última, caiu em pé, olhou ao redor e disse:

– Ah, merda, me sinto péssimo!

Então ele me viu. Caminhou direto para o lugar que eu ocupava perto da tela de arames. Ele era quente como um aquecedor. Não sei como fizeram isso.

– Meu filho – ele disse –, finalmente você veio! Estive esperando por você. Trinta e dois dias que já estou nesta jaula de merda!

– Não sei do que você está falando.

– Meu filho – ele disse –, não faça piada comigo. Volte hoje à noite com um alicate para cortar estes arames e me liberte!

– Não vem com essa merda pra cima de mim, cara – eu disse.

– Estou aqui há 32 dias, meu filho! Finalmente vou recuperar minha liberdade!

– Então você alega ser realmente o diabo?

– Que eu coma o cu de um gato se não for verdade o que lhe digo – ele respondeu.

– Bom, se você é mesmo o diabo, então pode usar seus poderes sobrenaturais pra sair daí.

– Meus poderes desapareceram temporariamente. Esse sujeito que fica anunciando lá na frente estava preso junto comigo. Eles nos pegaram por embriaguez pública, junto com um bando de outros bêbados. Eu lhe disse que era o demônio e ele pagou a minha fiança. Estava sem meus poderes na prisão, ou então não teria precisado dele. Ele me embebedou outra vez e, quando acordei, estava nessa gaiola. O filho da puta me alimenta com comida pra cachorro e sanduíches com manteiga de amendoim. Meu filho, me ajude, eu lhe imploro!

– Você é louco – eu disse. – Não passa de algum tipo de louco.

– Basta que você volte esta noite, meu filho, com o alicate especial.

O anunciante entrou e disse que a sessão com o demônio tinha terminado e que, se quiséssemos vê-lo por mais tempo, teríamos de pagar outros 25 centavos. Eu tinha visto o suficiente. Saí juntamente com os demais idiotas de toda espécie.

– Ei, ele *falou* com você? – perguntou um sujeitinho que caminhava ao meu lado. – Venho todas as noites e é a primeira vez que vejo ele falar com alguém.

– Foda-se – eu disse.

O anunciante me parou.

– O que ele lhe disse? Vi que falava com você. O que ele disse?

– Ele me contou tudo – eu disse.

– Bem, fique fora disso, meu chapa, ele é *meu*! Não ganho tanto dinheiro desde que a mulher barbada de três pernas estava aqui.

– O que aconteceu com ela?

– Fugiu com o homem-polvo. Estão administrando uma fazenda no Kansas.

– Acho que vocês todos são loucos.

– É um aviso. Eu encontrei esse sujeito. *Não se meta!*

Segui até o meu carro, entrei e voltei para Flo. Quando cheguei, ela estava sentada na cozinha, bebendo uísque. Continuou como estava e me disse uma centena de vezes que eu era um inútil. Bebi um pouco com ela sem dizer muito em minha defesa. Então levantei, fui até a garagem, peguei o alicate de cortar arame, coloquei-o em meu bolso, entrei no carro e dirigi de volta ao píer.

Arrombei a porta dos fundos, o ferrolho estava enferrujado e cedeu na minha primeira tentativa. Ele estava dormindo no chão da gaiola. Tentei cortar o arame da tela, mas não consegui. O fio era muito grosso. Então ele acordou.

– Meu filho – ele disse –, você voltou! Eu sabia que voltaria!

– Olha, cara, não consigo cortar o arame com isso. O fio é muito grosso.

Ele se levantou.

– Deixe-me tentar.

– Deus – eu disse –, suas mãos estão quentes! Você deve estar com algum tipo de febre.

– Não me chame de deus – ele disse.

Ele cortou o fio com o alicate como se fosse uma linha de costura e saiu.

– E agora, meu filho, para a sua casa. Tenho que recuperar minha energia. Alguns bifes de filé bem grossos e vou estar bem. Comi tanta comida de cachorro que receio que possa começar a latir a qualquer momento.

Caminhamos de volta para o meu carro e levei-o para a minha casa. Quando entramos, Flo ainda estava sentada na cozinha bebendo uísque. Fritei um ovo com bacon e fiz um sanduíche como aperitivo e nos sentamos com Flo.

– Seu amigo é um demônio bem bonito – ela me disse.

– Ele alega que *é* o demônio – eu disse.

– Faz muito tempo – ele disse – desde que provei uma boa mulher.

Ele se inclinou para frente e beijou Flo longamente. Quando a soltou, ela parecia estar em um estado de choque.

– Esse foi o beijo *mais quente* que já vi – ela disse. – E já vi muitos.

– Mesmo? – ele perguntou.

– Se você faz amor da mesma forma que beija, seria simplesmente demais, simplesmente *demais*!

– Onde é o quarto? – me perguntou.

– Siga a moça – eu disse.

Seguiu Flo para o quarto, e eu me servi um copo cheio de uísque.

Nunca tinha ouvido gritos e gemidos como aqueles, e a coisa continuou por uns bons 45 minutos. Então ele saiu sozinho e sentou e se serviu de uma bebida.

– Meu filho – ele disse –, você tem uma mulher e tanto ali.

Ele caminhou até o sofá na sala da frente, se espreguiçou e adormeceu. Entrei no quarto, tirei a roupa e pulei na cama com Flo.

– Meu deus – ela disse –, meu Deus, não acredito nisso. Ele me fez cruzar os céus e o inferno.

– Só espero que ele não ponha fogo no sofá – eu disse.

– Quer dizer que ele fuma um cigarro e vai dormir?

– Esqueça – eu disse.

Bem, ele começou a tomar conta de tudo. *Eu* tive de dormir no sofá. Tive de escutar os gritos e gemidos de Flo que vinham lá do quarto todas as noites. Um dia, enquanto Flo estava no mercado e nós estávamos bebendo uma cerveja onde normalmente tomávamos café da manhã, tive uma conversa com ele:

– Escute – eu disse –, não me importo de ajudar alguém, mas agora perdi minha cama e minha esposa. Vou ter de pedir para que você vá embora.

– Acho que ainda vou ficar mais um pouco, meu filho, sua mulher é uma das melhores bucetas que já provei.

– Escute, cara – eu disse –, talvez eu precise tomar medidas extremas para retirar você daqui.

– Garoto durão, hein? Bem, escute, garoto durão, tenho uma pequena novidade para você. Meus poderes sobrenaturais voltaram. Se tentar foder comigo, vai acabar se queimando. Fique atento!

Tínhamos um cachorro. Chamava-se Old Bones; não valia muito, latia à noite e era um razoável cão de guarda. Bem, ele apontou para o cachorro e o seu dedo fez um som parecido com o barulho de um espirro, então, depois de um chiado, uma fina linha de fogo acertou Old Bones em cheio. O cachorro fritou e sumiu. Simplesmente não estava mais lá. Nenhum osso, nenhum pelo, nem mesmo o fedor. Só espaço.

– Ok, cara – eu lhe disse. – Você pode ficar mais alguns dias, mas depois disso você tem que partir.

– Prepare um bife de filé pra mim – ele disse –, estou com fome e receio que a minha contagem de esperma esteja diminuindo.

Levantei e atirei um bife na panela.

– Prepare umas batatas fritas para acompanhar – ele disse – e uns tomates fatiados. Não preciso de café. Tenho andado com insônia. Vou só tomar mais algumas cervejas

No instante em que lhe servi a comida, Flo estava de volta.

– Olá, meu amor – ela disse –, como está?

– Bem – ele disse –, não tem ketchup?

Saí, entrei no meu carro e dirigi até a praia.

Bem, o anunciante tinha outro diabo lá dentro. Paguei meus 25 centavos e entrei. Esse demônio realmente não era grande coisa. A tinta vermelha que borrifaram nele o estava matando, e ele estava bebendo para não enlouquecer. Era um sujeito grande, mas não tinha nenhuma qualidade. Eu era um dos poucos clientes ali dentro. Havia mais moscas do que gente.

O anunciante veio até mim.

– Tenho passado fome desde que você roubou o demônio de verdade de mim. Imagino que você agora está comandando o seu próprio show?

– Escute – eu disse –, faço qualquer coisa para devolvê-lo a você. Estava apenas tentando ser um bom sujeito.

– Sabe o que acontece com os bons sujeitos neste mundo, não sabe?

– Sim, acabam na esquina da sétima com a Broadway vendendo revistas das Testemunhas de Jeová.

– Meu nome é Ernie Jamestown – ele disse –, me fale o que está acontecendo. Tenho uma sala nos fundos.

Caminhei até a sala com Ernie. Sua esposa estava sentada à mesa, bebendo uísque. Ela levantou os olhos.

– Escute, Ernie, se esse cretino for nosso novo diabo, esqueça. Muito melhor encenarmos um suicídio triplo.

— Calma — disse Ernie — e passe a garrafa.

Contei a Ernie tudo o que tinha acontecido. Ele escutou cuidadosamente e depois disse:

— Posso resolver esse problema para você. Ele tem duas fraquezas... álcool e mulher. E tem mais uma coisa. Não sei por que isso acontece, mas quando ele está confinado, como estava na prisão, na cela dos bêbados, ou naquela jaula ali fora, ele perde seus poderes sobrenaturais. Tudo bem, vamos começar a partir daí.

Ernie foi até o armário e trouxe, de arrasto, muitas correntes e cadeados. Então foi até o telefone e ligou para Edna Hemlock. Edna Hemlock tinha de nos encontrar em vinte minutos na esquina do Bar do Woody. Ernie e eu entramos no meu carro, paramos para comprar duas garrafas na loja de bebidas, encontramos Edna e fomos até a minha casa.

Eles ainda estavam na cozinha. Estavam se agarrando feito loucos. Mas assim que viu Edna, o demônio esqueceu da minha mulher. Livrou-se dela como quem se desfaz de um par de calcinhas manchadas. Edna era uma mulher completa. Quando a fizeram, não esqueceram de nenhum detalhe.

— Por que vocês não bebem para se conhecerem melhor? — disse Ernie.

Ernie serviu dois grandes copos de uísque diante de cada um deles.

O demônio olhou para Ernie.

— Ei, seu filho da puta, você é o sujeito que me colocou naquela jaula, não é mesmo?

— Esqueça — disse Ernie —, vamos deixar o passado no passado.

— Claro que não!

Apontou o dedo e a linha de chamas foi até Ernie e logo ele já não estava mais lá.

Edna sorriu e ergueu seu copo de uísque. O diabo mostrou os dentes, ergueu seu copo e bebeu tudo.

— Que coisa boa! — ele disse. — Quem comprou?

– O homem que acabou de deixar o recinto há um momento – eu disse.

– Ah.

Ele e Edna beberam outro copo e começaram a se olhar. Então minha velha esposa disse a ele:

– Tira os olhos dessa vagabunda!

– Que vagabunda?

– Ela!

– Apenas beba sua bebida e cale a boca!

Ele apontou o dedo para a minha esposa, ouviu-se um som de um estalido, e ela não estava mais lá. Então ele me olhou:

– E o que você tem a dizer?

– Eu? Sou o sujeito que trouxe o alicate de cortar arame, lembra? Estou aqui para levar mensagens, trazer toalhas e assim por diante...

– Com certeza é ótimo ter meus poderes sobrenaturais novamente.

– São bem úteis – eu disse –, ainda mais agora que temos um problema de superpopulação.

Ele estava olhando para Edna. Estavam se olhando tão intensamente que consegui roubar uma das garrafas de uísque. Peguei a garrafa e entrei no meu carro e dirigi de volta para a praia.

A esposa de Ernie ainda estava sentada na sala dos fundos. Ela estava feliz em ver uma nova garrafa e eu servi dois copos.

– Quem é o garoto que está trancado na jaula? – perguntei.

– Oh, é um *quarterback* de terceira categoria de uma das universidades locais. Está tentando ganhar um extra.

– Você realmente tem belos peitos – eu disse.

– Você acha? Ernie nunca elogia meus peitos.

– Beba. Esse uísque é muito bom.

Puxei a cadeira e sentei-me ao lado dela. Ela tinha coxas belas e grossas. Quando a beijei, ela não resistiu.

– Estou tão cansada dessa vida – ela disse. – Ernie sempre foi um pilantra barato. Você tem um bom emprego?

– Sim. Sou o gerente do setor de despachos da Drombo-Western.

– Me beija de novo – ela disse.

Rolei para o lado e me limpei com o lençol.

– Se Ernie descobrir, ele nos mata – ela disse.

– Ernie não vai descobrir. Não se preocupe com isso.

– Você é muito bom de cama – ela disse, – mas por que eu?

– Não estou entendendo.

– Quero dizer, de verdade, o que o levou a fazer isso?

– Ah – eu disse –, o diabo me obrigou.

Então acendi um cigarro, me deitei de barriga para cima, traguei e soprei um anel de fumaça perfeito. Ela se levantou e foi ao banheiro. Em um minuto ouvi a descarga da privada.

Colhões

Como qualquer um pode lhe dizer, não sou um homem muito bom. Não sei que palavra usar para me definir. Sempre admirei o vilão, o fora da lei, o filho da puta. Não gosto dos garotos bem-barbeados com gravatas e bons empregos. Gostos dos homens desesperados, homens com dentes rotos e mentes arruinadas e caminhos perdidos. São os que me interessam. Sempre cheios de surpresas e explosões. Também gosto de mulheres vis, cadelas bêbadas que não param de reclamar, que usam meias-calças grandes demais e maquiagens borradas. Estou mais interessado em pervertidos do que em santos. Posso relaxar com os imprestáveis, porque sou um imprestável. Não gosto de leis, morais, religiões, regras. Não gosto de ser moldado pela sociedade.

Certa noite, eu estava bebendo com Marty, o ex-presidiário, no meu quarto. Eu não tinha emprego e não queria ter um emprego. Queria tão-somente ficar sentado sem os meus sapatos e beber vinho e falar e rir, se possível. Marty era um pouco estúpido, mas tinha mãos de trabalhador, um nariz quebrado, olhos de toupeira, nada que lhe pesasse muito, ele tinha enfrentado de tudo.

– Gosto de você, Hank – disse Marty –, você é um homem de verdade, um dos poucos homens de verdade que já conheci.

– É – eu disse.

– Você tem colhões.

– É.

– Uma vez trabalhei minerando pedra...

– É?

– Entrei em uma briga com um sujeito. Usamos machadinhas. Ele quebrou o meu braço esquerdo com seu primeiro golpe. Fui em frente para encará-lo. Afundei a porra da cabeça dele. Quando se recuperou daquela pancada, estava fora de si. Eu tinha esmagado seu cérebro. Mandaram ele pro hospício.

– Isso é legal – eu disse.

– Escute – disse Marty –, quero brigar com você.

– Dê o primeiro soco. Vá em frente, me acerte.

Marty estava sentado em uma cadeira verde com encosto reto. Eu estava caminhando para a pia para me servir outro copo de vinho da garrafa. Virei e acertei um soco de direita bem na cara dele. Ele virou uma cambalhota para trás na cadeira, se levantou e veio em minha direção. Eu não estava esperando por um golpe de esquerda. Acertou-me no alto da testa e me derrubou. Espichei a mão para o saco cheio de vômito e garrafas vazias, tirei uma, me ergui sobre os joelhos e arremessei-a. Marty se esquivou e parti para cima dele com a cadeira que estava atrás de mim. Tinha-a sobre minha cabeça, quando a porta se abriu. Era nossa senhoria, uma loira jovem e bonita, na casa dos vinte. O que ela fazia gerenciando um lugar como aquele, nunca consegui descobrir. Coloquei a cadeira no chão.

– Vá pro seu quarto, Marty.

Marty parecia envergonhado, como um menininho. Ele caminhou pelo corredor para o seu quarto, entrou e fechou a porta.

– Sr. Chinaski – ela disse –, quero que você saiba...

– Quero que você saiba – eu disse – que isso não adianta nada.

– O que não adianta?

– Você não faz o meu tipo. Não quero trepar com você.

– Escute – ela disse –, quero lhe dizer algo. Vi você mijando no pátio na noite passada e, se fizer isso outra vez, vou expulsá-lo daqui. Alguém mijou no elevador também. Foi você?

– Não mijo em elevadores.

– Bem, esse negócio do pátio, na noite passada, foi você. Eu estava olhando.

– Porra, claro que não!

– Você estava muito bêbado para lembrar. Não faça mais isso.

Ela fechou a porta e se foi.

Eu estava sentado lá, tranquilamente, bebendo vinho alguns minutos mais tarde e tentando me lembrar se eu *tinha* mijado no vizinho, quando bateram à porta.

– Entre – eu disse.

Era Marty.

– Tenho que lhe dizer uma coisa.

– Claro. Sente.

Servi um copo para Marty, e ele sentou.

– Estou apaixonado – ele disse.

Não respondi. Fechei um cigarro.

– Você acredita no amor? – ele perguntou.

– Tenho que acreditar. Aconteceu comigo uma vez.

– Onde ela está?

– Ela se foi. Morreu.

– Morreu? Como?

– Álcool.

– Essa também bebe. Isso me preocupa. Ela sempre bebe. Ela não consegue parar.

– Nenhum de nós consegue.

– Vou às reuniões dos Alcoólicos Anônimos com ela. Quando ela vai, está bêbada. Metade dos sujeitos que vão às reuniões dos Alcoólicos Anônimos está bêbada. Dá para sentir o cheiro saindo deles.

Não respondi.

– Deus, ela é jovem. E que corpo! Eu amo ela, cara, realmente amo essa mulher!

– Ah, que caralho, Marty, isso é só sexo.

– Não, eu amo ela, Hank, realmente sinto que a amo.

– Bem, talvez seja possível.

– Cristo, eles a puseram num quarto no porão. Ela não consegue pagar o aluguel.

– No porão?

– Sim, próximo da caldeira e da sujeira.

– Difícil de acreditar.

– É, ela está lá embaixo. E eu amo ela, cara, e não tenho nenhum dinheiro pra ajudá-la.

– Isso é triste. Já estive na mesma situação. Dói.

– Se eu conseguisse me endireitar, se conseguisse parar de beber por dez dias e recuperasse a minha saúde... posso arranjar um emprego em algum lugar, posso ajudá-la.

– Bem – eu disse –, você está bebendo agora. Se a ama, vai parar. Bem agora.

– Por Deus – ele disse. – Vou! Vou derramar esse copo na pia!

– Não seja melodramático. Passe esse copo pra cá.

Peguei o elevador e desci para o primeiro andar com uma garrafa de uísque barato que eu tinha roubado da loja de bebidas do Sam, uma semana antes. Então tomei a escada para o porão. Havia uma pequena vela queimando lá embaixo. Caminhei pelo lugar procurando por uma porta. Finalmente encontrei uma. Devia ser uma ou duas da madrugada. Bati na porta. Uma fresta se abriu, e lá estava uma mulher realmente bonita vestindo um roupão de dormir. Eu não esperava por isso. Jovem e com cabelos loiros avermelhados. Enfiei meu pé na porta, então forcei a minha entrada, fechei a porta e olhei ao redor. Não era um lugar de todo mau.

– Quem é você? – ela perguntou. – Saia daqui.

– Você arranjou um bom lugar aqui. É melhor do que o meu apartamento.

– Saia daqui! Saia! Saia!

Puxei a garrafa de uísque do saco de papel. Ela a olhou.

– Como você se chama? – perguntei.

– Jeanie.

– Olhe, Jeanie, onde você guarda os copos?

Ela apontou para uma prateleira na parede, caminhei até lá e peguei dois copos altos de água. Havia uma pia. Botei um pouco de água em cada um, caminhei de volta, coloquei-os sobre a mesa, abri o uísque e o misturei nos copos. Sentamos na ponta da cama dela e bebemos. Ela era jovem, atraente. Eu não podia acreditar. Esperei por uma crise neurótica, por um surto psicótico. Jeanie parecia normal, até mesmo saudável. Mas ela realmente gostava de uísque. Acompanhou-me bem. Eu tinha descido até ali em um ímpeto de ansiedade, mas agora não sentia mais essa ansiedade. Quero dizer, se ela fosse muito feia ou tivesse algo de indecente ou uma deficiência (lábio leporino, qualquer coisa), teria sentido mais vontade de fazer algo. Lembrei-me de uma história que eu tinha lido uma vez em *Programa de corridas* sobre um garanhão que ninguém conseguia fazer com que acasalasse com éguas. Trouxeram as éguas mais bonitas que puderam encontrar, mas o garanhão as refugava. Então alguém, que sabia das coisas, teve uma ideia. Cobriu de lama uma das belas éguas, e o garanhão imediatamente a montou. A teoria era de que o garanhão se sentia inferior a toda aquela beleza, mas que, diante da fêmea enlameada, pôde ao menos se sentir em pé de igualdade, quando não superior a ela, e assim funcionar. A mente dos cavalos e dos homens pode ser muito parecida.

De qualquer forma, Jeanie serviu o próximo copo e perguntou meu nome e onde eu dormia. Disse-lhe que eu estava em alguma parte dos andares de cima e que só queria beber com alguém.

– Vi você no Clamber numa noite dessas, uma semana atrás – ela disse –, você estava muito engraçado, todos estavam rindo, você pagou bebidas para todo mundo.

– Não me lembro.

– Eu lembro. Você gosta do meu roupão?

– *Claro*.

— Por que você não tira as calças e fica mais confortável?

Tirei-as e me sentei outra vez na cama com ela. A coisa andava muito lentamente. Lembro de dizer-lhe que ela tinha peitos bonitos e logo eu estava mamando em um deles. A próxima coisa de que me lembro era que estávamos trepando. Eu estava por cima. Mas algo não estava dando certo, então rolei para o lado.

— Sinto muito — eu disse.

— Está tudo bem — ela disse —, ainda gosto de você.

Ficamos lá sentados, falando vagamente, liquidando com a garrafa de uísque.

Então ela se levantou e apagou as luzes. Sentia-me muito triste, então deitei na cama e me encostei em suas costas. Jeanie estava quente, plena, e eu podia sentir sua respiração e seus cabelos contra o meu rosto. Meu pênis começou a se erguer e eu a cutuquei com ele. Senti que ela espichou a mão e o guiou para dentro.

— Agora — ela disse —, agora, isso...

Foi bom assim, durou muito e foi bom, e então gozamos e depois dormimos.

Quando acordei, ela ainda estava dormindo e eu me levantei e me vesti. Já estava completamente vestido quando ela se virou e me olhou:

— A saideira.

— Tudo bem.

Tirei a roupa outra vez e fui para a cama com ela. Ela virou-se de costas para mim e nós transamos de novo, do mesmo jeito. Depois que eu gozei, ela continuou de costas para mim.

— Você virá me ver outra vez? — ela perguntou.

— Claro.

— Você mora lá em cima?

— Sim. Trezentos e nove. Posso vir aqui ou você pode subir.

— Prefiro que você venha me ver — ela disse.

– Tudo bem – eu disse.

Eu me vesti, abri e fechei a porta, subi as escadas, entrei no elevador e apertei o botão com o número três.

Mais ou menos uma semana depois, à noite, eu bebia vinho com Marty. Falávamos de várias coisas sem importância e então ele disse:

– Cristo, me sinto péssimo.

– Outra vez?

– É. Minha garota, Jeanie. Falei a ela sobre você.

– Sim. Aquela que vive no porão. Você está apaixonado por ela.

– É. Expulsaram ela de lá. Não conseguia pagar o aluguel reduzido.

– Para onde ela foi?

– Não sei. Ela se foi. Ouvi dizer que a expulsaram. Ninguém sabe o que ela fez, aonde ela foi. Fui na reunião dos Alcoólicos Anônimos. Ela não estava lá. Estou mal, Hank, muito mal. Eu a amava. Estou perdendo a cabeça.

Não respondi.

– O que posso fazer, cara? Estou realmente estraçalhado...

– Vamos beber à saúde dela, Marty, à saúde dela.

Bebemos um bom e longo gole em homenagem a ela.

– Ela era ótima, Hank, você tem de acreditar em mim, ela era ótima.

– Acredito em você, Marty.

Uma semana depois, Marty foi expulso por não pagar seu aluguel, e eu arranjei um emprego em uma empresa que empacotava carne, e havia alguns bares mexicanos do outro lado da rua. Eu gostava daqueles bares mexicanos. Depois do trabalho, eu fedia a sangue, mas ninguém parecia se importar. Era só quando entrava no ônibus para voltar ao meu quarto que aqueles narizes começavam a se erguer e eu recebia olhares de reprovação e começava a me sentir novamente um homem mau. Isso ajudava.

Matador

Ronnie ia encontrar os dois homens no bar alemão, no distrito de Silverlake. Eram sete e quinze da noite. Ficou lá sentado, bebendo cerveja preta, sozinho em sua mesa. A garçonete era loira, um belo traseiro, e seus peitos pareciam prestes a saltar para fora da blusa.

Ronnie gostava de loiras. Era como esquiar no gelo e esquiar em patins. As loiras eram como esquiar no gelo, o resto era como esquiar de patins. As loiras chegavam mesmo a ter um cheiro diferente. Mas mulheres significavam problema e para ele os problemas frequentemente superavam os prazeres. Em outras palavras, o preço a ser pago era muito alto.

Ainda assim um homem precisava de uma mulher de vez em quando, no pior dos casos, apenas para provar que conseguia arranjar uma. O sexo era secundário. Não era um mundo para os apaixonados, nunca seria.

Sete e vinte. Ele acenou para que lhe trouxessem outra cerveja. Ela veio sorrindo, carregando a cerveja na frente de seus peitos. Assim era difícil não gostar dela.

– Você gosta de trabalhar aqui? – ele perguntou.

– Oh, sim, conheço muitos homens.

– Homens legais?

– Os legais e também os do outro tipo.

– Como consegue distingui-los?

– Só de olhar já consigo dizer a diferença.

– E de que tipo eu sou?

– Ah – ela riu –, dos legais, é claro.

– Agora você fez por merecer sua gorjeta – disse Ronnie.

Sete e vinte e cinco. O combinado era às sete. Então ele levantou os olhos. Era Curt. Curt tinha um sujeito com ele. Eles vieram até a mesa em que Ronnie estava e se sentaram. Curt acenou pedindo um jarro.

– Os Rams não valem merda nenhuma – disse Curt. – Já perdi umas quinhentas pratas neles só nessa temporada.

– Acha que é o fim de Prothro?

– Sim, está tudo acabado para ele – disse Curt. – Oh, esse é Bill. Bill, esse é Ronnie.

Apertaram as mãos. A garçonete chegou com o jarro de cerveja.

– Senhores – disse Ronnie –, essa é Kathy.

– Opa – disse Bill.

– Opa – disse Curt.

A garçonete riu e se afastou rebolando.

– A cerveja é boa – disse Ronnie. – Estou aqui desde as sete horas esperando. Já deveria saber.

– Não vá beber demais – disse Curt.

– Ele é confiável? – perguntou Bill.

– Tem as melhores referências – disse Curt.

– Olhe – disse Bill –, não quero nada de gracinhas. É a minha grana.

– Como vou saber que você não é um tira? – perguntou Ronnie.

– Como vou saber que você não vai fugir com os 2.500 dólares?

– *Três mil*.

– Curt falou em dois e meio.

– Acabei de subir o preço. Não gosto do seu jeito.

– Também não fui muito com a sua cara. Tenho uma boa oportunidade de cancelar tudo.

– Não vai cancelar. Vocês nunca cancelam.

– Você faz isso regularmente?

– Sim. E você?

– Tudo bem, senhores – disse Curt –, não me importo com a quantia que vocês vão acertar. Quero o meu dinheiro pelo contato.

– Você é o sortudo, Curt – disse Bill.

– É... – disse Ronnie.

– Cada homem se especializa em alguma coisa – disse Curt, acendendo um cigarro.

– Curt, como sei que esse sujeito não vai fugir com os três mil?

– Ele não vai, se fugir, está fora dos negócios. E esse é o único tipo de trabalho que ele sabe fazer.

– Isso é horrível – disse Bill.

– O que tem de horrível nisso? Você precisa dele, não precisa?

– Bem, sim.

– Outras pessoas precisam dele também. Dizem que cada homem é bom em alguma coisa. Ele é bom nisso.

Alguém colocou algum trocado no *jukebox* e eles ficaram lá sentados, ouvindo música e bebendo cerveja.

– Realmente gostaria de foder aquela loira – disse Ronnie. – Queria meter meu pau nela por umas cinco ou seis horas.

– Eu também meteria ferro nela – disse Curt –, se possível.

– Vamos pedir outro jarro – disse Bill. – Estou nervoso.

– Não há nada com o que se preocupar – disse Curt.

Ele acenou para a garçonete pedindo outro jarro de cerveja.

– Aqueles quinhentos que apostei nos Rams, vou recuperá-los em Santa Anita. Eles abrem no dia 26 de dezembro. Estarei lá.

– O Shoe correrá na inauguração? – perguntou Bill.

– Não tenho lido os jornais. Imagino que sim. Ele não pode abandonar. Está em seu sangue.

– Longden abandonou – disse Ronnie.

– Bem, ele tinha que largar tudo, tinham que amarrá-lo na sela.

– Ele ganhou sua última corrida.

– Só porque Campus puxou o outro cavalo.

– Não acho que você possa acertar nos cavalos – disse Bill.

– Um homem inteligente pode fazer qualquer coisa, desde que se dedique – disse Curt. – Nunca trabalhei um único dia na vida.

– Pois é – disse Ronnie –, mas eu tenho trabalho pra essa noite.

– E certifique-se de que será bem feito, meu chapa – disse Curt.

– Sempre faço um bom trabalho.

Estavam quietos e ficaram sentados bebendo cerveja. Então Ronnie disse:

– Tudo bem, onde está a porra do dinheiro?

– Você vai receber, vai receber – disse Bill. – Por sorte eu trouxe quinhentos dólares a mais.

– Quero o dinheiro agora. Todo o dinheiro.

– Dê-lhe o dinheiro, Bill, e aproveite para já dar a minha parte também.

O dinheiro estava todo em notas de cem. Bill contou o dinheiro embaixo da mesa. Ronnie recebeu sua parte primeiro. Depois Curt recebeu a que lhe cabia. Eles conferiram. Tudo certo.

– Onde é o trabalho? – perguntou Ronnie.

– Tome aqui – disse Bill, entregando-lhe um envelope. – O endereço e a chave estão aí dentro.

– É muito longe?

– Trinta minutos. Pegue a autoestrada Ventura.

– Posso lhe perguntar uma coisa?

– Claro.

– Por quê?

– Por quê?

– Sim, por quê?

– Isso importa?

– Não.

– Então por que perguntar?

– Acho que me passei na cerveja.

– Talvez seja melhor você ir – disse Curt.
– Só mais um jarro de cerveja – disse Ronnie.
– Não – disse Curt –, vá logo.
– Bem, merda, tudo bem.

Ronnie deu a volta na mesa, levantou, caminhou para a saída. Curt e Bill ficaram ali sentados olhando para ele. Ele saiu. Noite. Estrelas. Lua. Trânsito. Seu carro. Ele destrancou a porta, entrou e partiu.

Ronnie verificou a rua cuidadosamente e o endereço com mais cuidado ainda. Estacionou a um quarteirão e meio de distância, passando o endereço, e voltou caminhando. A chave entrou na fechadura. Ele abriu e entrou. Havia uma televisão ligada na sala da frente. Ele caminhou pelo tapete.

– Bill? – alguém perguntou.

Ele ouviu a voz. Ela estava no banheiro.

– Bill? – ela disse novamente.

Ele empurrou a porta e lá estava ela sentada na banheira, muito loira, muito branca, jovem. Ela gritou.

Ele pôs as mãos em sua garganta e a empurrou para baixo até mergulhá-la na água. As mangas de sua camisa estavam encharcadas. Ela chutava e lutava violentamente. A coisa ficou tão feia que ele teve que entrar na banheira com ela de roupa e tudo. Teve que segurá-la. Finalmente ela ficou parada e ele a soltou.

As roupas de Bill não serviam muito bem nele, mas pelo menos estavam secas. A carteira estava molhada, mas ele a guardou assim mesmo. Então saiu de lá, caminhou um quarteirão e meio até seu carro e partiu.

Foi isso que matou Dylan Thomas

Foi isso que matou Dylan Thomas.

Entro no avião com minha namorada, o técnico de som, o câmera e o produtor. A câmera está ligada. O técnico de som tinha prendido microfones de lapela em minha namorada e em mim. Estou a caminho de São Francisco para fazer uma leitura de poesia. Sou Henry Chinaski, poeta. Sou profundo, sou magnífico. Caralho. Bem, sim, sou um cara do caralho.

O Canal Quinze está pensando em fazer um documentário sobre mim. Estou vestindo uma camisa nova e limpa, e minha namorada está vibrante, magnífica, recém-entrada nos trinta. Ela esculpe, escreve e faz amor maravilhosamente bem. A câmera esbarra em meu rosto. Finjo que não está ali. Os passageiros observam, a aeromoça sorri, a terra é roubada dos índios, Tom Mix está morto e eu tive um belo café da manhã.

Mas não consigo deixar de pensar nos anos em quartos solitários, quando as únicas pessoas que batiam à minha porta eram as senhorias cobrando o aluguel atrasado ou o FBI. Vivia com ratos e camundongos e vinho, meu sangue escorria pelas paredes em um mundo que não conseguia compreender e ainda não compreendo. Em vez de levar a vida que eles levavam, eu passava fome. Fugia para dentro de minha própria mente e me escondia. Fechava todas as cortinas e ficava olhando para o teto. Quando saía, era para ir a um bar onde eu mendigava por bebida, andava a esmo, apanhava nos becos de homens bem-alimentados e confiantes, de homens idiotas e com vidas confortáveis. Bem, ganhei algumas lutas, mas só porque era louco. Fiquei anos sem mulher, vivia de manteiga de amendoim e pão amanhecido e batatas cozidas. Eu era o idiota, o estúpido, o louco. Queria escrever, mas a máquina de escrever estava sempre penhorada. Então eu desistia e bebia...

O avião decolou e a câmera continuou gravando. Minha namorada e eu conversávamos. As bebidas chegavam. Eu tinha poesia e uma bela mulher. A vida estava melhorando. Mas as armadilhas, Chinaski, cuidado com as armadilhas. Você lutou uma longa batalha para submeter o mundo à sua vontade. Não deixe que um pouco de adulação e uma câmera de cinema o derrubem dessa posição. Lembre-se do que disse Jeffers: "Até mesmo os homens mais fortes podem ser pegos em armadilhas, como Deus, na vez em que caminhou sobre a Terra".

Bem, você não é Deus, Chinaski, relaxe e beba outro copo. Talvez deva dizer algo profundo para o técnico de som? Não, deixe-o trabalhar. Deixe todos trabalharem. Eles que estão fazendo o filme. Veja o tamanho das nuvens. Você está voando com executivos da IBM, da Texaco, da...

Está andando com o inimigo.

No elevador do aeroporto um homem me pergunta:

– O que são todas essas câmeras? O que está acontecendo?

– Sou um poeta – eu lhe digo.

– Um poeta? – ele pergunta. – Qual o seu nome?

– Garcia Lorca – respondo...

Bem, em North Beach as coisas são diferentes. Eles são jovens e vestem jeans e ficam por ali, apenas esperando. Sou velho. Onde estão os jovens de vinte anos atrás? Onde está Joltin' Joe*? Essa coisa toda. Bem, eu estava em São Francisco trinta anos atrás e evitava North Beach. Agora estou caminhando justamente por aqui. Vejo minha cara nos

---

* Referência ao grande astro do *baseball* americano Joe DiMaggio. (N.T.)

pôsteres por toda a parte. Cuidado, velho, a armadilha está pronta. Eles querem seu sangue.

Minha namorada e eu caminhamos com Marionetti. Bem, aqui estamos nós caminhando por aí com Marionetti. É bom estar com Marionetti, ele tem olhos muito gentis e as jovens o param na rua para falar com ele. Agora, creio, poderia ficar em São Francisco... mas sou muito inteligente para isso, para mim, é melhor voltar para Los Angeles, a metralhadora já está montada na janela da frente do casarão. Eles podem ter conquistado Deus, mas Chinaski recebe seus conselhos do diabo.

Marionetti vai embora e lá está uma cafeteria *beatnick*. Nunca estive em uma. Estou em uma cafeteria *beatnick*. Minha namorada e eu pedimos o melhor... a xícara de sessenta centavos. Grande coisa. Não vale o preço. Os garotos ficam sentados, bebericando seus cafés e esperando que a vida aconteça. Não vai acontecer.

Atravessamos a rua e entramos em uma cafeteria italiana. Marionetti está de volta com o seu amigo do *San Francisco Chronicle*, que escreveu, em sua coluna, que eu era o melhor contista que tinha surgido desde Hemingway. Digo-lhe que está errado. Não sei quem é o melhor contista desde Hemingway, mas não é Henry Chinaski. Sou muito descuidado. Não me esforço tanto quanto deveria. Estou cansado.

O vinho sobe a cabeça. Vinho ruim. A atendente traz uma sopa, salada, uma tigela de raviólis. Outra garrafa de vinho ruim. Estamos já muito estufados para comer o prato principal. A conversa está solta. Não nos esforçamos para ser brilhantes. Talvez não possamos ser. Saímos.

Caminho atrás deles enquanto seguimos colina acima. Caminho com minha bela namorada. Começo a vomitar. Vinho tinto ruim. Salada. Sopa. Raviólis. Sempre vomito antes de uma leitura. É um bom sinal. A lâmina está afiada. A faca está em meu estômago enquanto subo a colina.

Eles nos colocam em uma sala, nos deixam algumas garrafas de cerveja. Olho para os meus poemas. Estou apavorado. Vomito na pia, vomito no banheiro, vomito no chão. Estou pronto.

O maior público desde Yevtushenko*... Caminho pelo palco. Fodão. Chinaski é fodão. Há uma geladeira cheia de cervejas atrás de mim. Espicho o braço e pego uma. Sento e começo a ler. Eles pagaram dois dólares pelo ingresso. Pessoas bacanas, essas daí. Alguns, no entanto, são bastante hostis desde o começo. Um terço deles me odeia, um terço me ama, o outro terço não sabe por que, raios, está ali. Tenho alguns poemas que sei que aumentarão o ódio. É bom ter hostilidade, mantém a cabeça relaxada.

– Laura Day poderia se levantar? Poderia o meu amor ficar de pé, por favor?

Ela se levanta acenando com os braços.

Começo a ficar mais interessado na cerveja do que na poesia. Falo entre os poemas, palavras banais e secas, monótonas. Sou Humphrey Bogart. Sou Hemingway. Sou foda.

– Leia os poemas, Chinaski! – gritam eles.

Eles estão certos, vocês sabem. Tento me ater aos poemas. Mas passo também bastante tempo abrindo e fechando a porta da geladeira atrás de mim. Isso facilita o trabalho e eles já pagaram. Certa vez me contaram que John Cage subiu no palco, comeu uma maçã e saiu, ele recebeu mil dólares por isso. Imaginei que tinha ainda algumas cervejas para beber.

Bem, por fim terminou. Eles deram a volta. Autógrafos. Vieram de Oregon, Los Angeles, Washington. Algumas garotinhas bem bonitas também. Foi isso que matou Dylan Thomas.

Voltei lá para cima, para minha sala, bebendo cerveja e falando com Laura e Joe Krysiak. Lá embaixo, eles batem à porta.

– Chinaski! Chinaski!

---

* Poeta russo. Famoso por suas leituras de poesia nos anos 1960. (N.T.)

Joe desce para mandá-los embora. Sou um astro de rock. Finalmente desço e deixo uns poucos entrarem. Conheço alguns deles. Poetas famintos. Editores de pequenas revistas. Alguns dos que entram, eu não conheço. Tudo bem, tudo bem... tranque a porta!

Bebemos. Bebemos. Bebemos. Al Masantic cai no banheiro e abre o topo da cabeça. Um poeta muito bom, aquele Al.

Bem, todos estão falando. Não passa de outra bebedeira. Então o editor de uma pequena revista começa a bater em um veado. Não gosto disso. Tento separá-los. Uma janela está quebrada. Empurro-os escada abaixo. Empurro todo mundo pela escada, exceto Laura. A festa acabou. Bem, não exatamente. Laura e eu discutimos. Meu amor e eu estamos discutindo. Ela tem um temperamento forte e eu não fico atrás. Só para variar, estamos brigando por nada. Digo a ela que suma dali. Ela some.

Acordo horas depois e ela está em pé no meio do quarto. Salto da cama e a xingo. Ela está partindo pra cima de mim.

– Vou matar você, seu filho da puta!

Estou bêbado. Ela está em cima de mim no chão da cozinha. Minha cara está sangrando. Ela morde o meu braço e abre um buraco. Não quero morrer. Não quero morrer! Foda-se a paixão! Corro para a cozinha e derramo meia garrafa de iodo sobre meu braço. Ela está jogando minhas bermudas e camisas para fora de sua mala, pegando sua passagem de avião. Ela está seguindo o seu rumo outra vez. Terminamos tudo para sempre, outra vez. Volto para a cama e escuto seus saltos descendo a colina.

No avião de volta, a câmera está gravando. Aqueles sujeitos do Canal Quinze vão descobrir sobre a minha vida. A câmera dá um zoom no buraco em meu braço. Na minha mão, trago um copo de uísque. Dose dupla.

— Senhores – digo –, não há como acertar as coisas com as mulheres. Absolutamente não há como.

Todos balançam a cabeça em consentimento. O técnico de som assente com a cabeça, o câmera assente com a cabeça, o produtor assente com a cabeça. Alguns dos passageiros assentem com a cabeça. Bebo muito durante todo o trajeto de volta, saboreando meu pesar, como dizem. O que pode um poeta sem o sofrimento? O poeta precisa de sofrimento tanto quanto de sua máquina de escrever.

Claro, vou para o bar do aeroporto. Teria ido para lá de qualquer maneira. A câmera me segue. Os sujeitos no bar olham ao redor, erguem suas bebidas e falam de como é impossível fazer as coisas funcionarem com as mulheres.

Pela leitura, recebi quatrocentos dólares.

— Para que esse negócio da câmera? – pergunta o sujeito ao meu lado.

— Sou um poeta – respondo.

— Um poeta? – ele pergunta. – Qual o seu nome?

— Dylan Thomas.

Ergo meu copo, esvazio-o de uma só vez, olho diretamente em frente. Estou de partida.

Sem pescoço e ruim como o inferno

Eu estava com um embrulho no estômago e ela tirava fotos de mim, revelando como eu suava e morria na área de espera enquanto observava uma garota roliça em um vestido curto e purpúreo, de salto alto, que atirava com um rifle em uma fileira de patos de plástico. Disse a Vicki que voltaria e pedi à garota no balcão um copo de papel, um pouco de água e ali lancei meu Alka Seltzer. Sentei-me novamente e continuei suando.

Vicki estava feliz. Estávamos saindo da cidade. Me agradava que Vicki estivesse contente. Ela merecia essa felicidade. Levantei e fui até o banheiro masculino e dei uma boa cagada. Quando saí, estavam chamando os passageiros. Não era um hidroavião muito grande. Um bimotor. Éramos os últimos. Havia apenas seis ou sete lugares.

Vicki sentou no assento do co-piloto e, para mim, fizeram um assento com aquela coisa que se dobra por cima da porta. E lá fomos nós! LIBERDADE! Meu cinto de segurança não funcionava.

Havia um japonês me olhando.

– Meu cinto de segurança não funciona – eu lhe disse.

Ele sorriu para mim, todo feliz.

– Vá lamber merda, meu chapa – eu lhe disse.

Vicki continuava olhando pra trás e sorrindo. Ela estava feliz, uma criança com um doce: um hidroavião de 35 anos.

Doze minutos depois, tocamos na água. Não cheguei a ficar enjoado. Saí. Vicki me contou tudo sobre o avião.

– O avião foi construído em 1940. Tinha buracos no chão. Ele controlava o leme com uma alavanca no teto. Disse a ele que estava com medo, e ele respondeu "Também estou com medo".

Eu dependia de Vicki para conseguir todas as informações. Falar com pessoas não era o meu forte. Bem, então entramos em um ônibus, suando e rindo e olhando um para o outro. Do fim da linha do ônibus até o hotel, era mais ou menos dois quarteirões e Vicki me mantinha informado:

– Ali tem um lugar para comer e ali, uma loja de bebidas para você, lá tem um bar e ali tem um lugar para comer e ali outra loja de bebidas...

O quarto era razoável, de frente, bem perto da água. A televisão funcionava de uma forma vaga e hesitante, e deixei-me cair pesadamente na cama e fiquei olhando Vicki, enquanto ela desfazia as malas.

– Ah, eu simplesmente amo este lugar! – ela disse. – Você não?

– *Sim*.

Levantei, desci as escadas e, do outro lado da rua, comprei cerveja e gelo. Coloquei o gelo na pia e afundei a cerveja ali. Bebi doze garrafas de cerveja, tive uma discussão de pouca monta com a Vicki depois da décima cerveja. Bebi as outras duas e fui dormir.

Quando acordei, Vicki tinha comprado um isopor e estava tirando a tampa. Vicki era uma criança, uma romântica, mas eu a amava por isso. Eu tinha tantos demônios sombrios em mim que recebia com boas-vindas a inocência de Vicki.

"Julho de 1972. Avalon Catalena" foi isso que ela escreveu no isopor. Ela não sabia como escrever o nome do lugar direito. Bem, nenhum de nós sabia.

Então ela fez um desenho de mim e, logo abaixo, escreveu:

"Sem pescoço e ruim como o inferno."

Depois desenhou uma mulher e, logo abaixo, escreveu:

"Henry reconhece um bom rabo quando vê um."

E, dentro de um círculo:

"Só deus sabe o que ele faz com o nariz."
E:
"Chinaski tem pernas lindas."
Ela também desenhou vários passarinhos e sóis e estrelas e palmeiras e o oceano.

– Acha que consegue tomar o café da manhã? – ela perguntou.

Nunca tinha sido mimado por nenhuma de minhas mulheres. Gostava de ser paparicado assim; senti que merecia ser mimado dessa forma. Saímos e encontramos um lugar bem razoável, onde se podia comer em uma mesa na rua. Durante o café ela me perguntou:

– Você realmente ganhou o prêmio Pulitzer?

– Que prêmio Pulitzer?

– Você me disse, na noite passada, que tinha recebido um Pulitzer. Quinhentos mil dólares. Disse que recebeu um telegrama purpúreo com o comunicado.

– Um telegrama purpúreo?

– Sim, você disse que tinha vencido Norman Mailer, Kenneth Koch, Diane Wakoski e Robert Creeley.

Terminamos o café da manhã e demos um passeio pelos arredores. Todo o lugar não tinha mais de cinco ou seis quarteirões. Todo mundo tinha dezessete anos de idade. Ficavam sentados indiferentes e esperavam. Nem todos. Havia alguns turistas, velhos, determinados a aproveitar suas férias. Espiavam ferozmente as vitrines das lojas e caminhavam, batendo os pés contra o pavimento, emitindo raios que anunciavam: tenho dinheiro, temos dinheiro, temos mais dinheiro do que vocês, somos melhores do que vocês, nada nos preocupa, tudo está uma merda, mas nós estamos bem e sabemos como funcionam as coisas, olhem para nós.

Com suas camisas rosas e verdes e azuis e corpos brancos e simétricos apodrecendo e calções listrados, olhos esvaziados de olhar, bocas desbocadas, caminhavam por aí, cheios de cores, como se cores pudessem ressuscitar a morte e transformá-la em vida. Eles eram uma espécie de carnaval da decadência americana, um desfile, e não faziam ideia da atrocidade que infligiam a si mesmos.

Deixei Vicki, subi as escadas, me curvei sobre a máquina de escrever e olhei pela janela. Não havia esperança. Durante toda a minha vida eu quis ser um escritor e, agora que tinha a minha chance, não conseguia escrever. Não havia arenas de touros, nem lutas de boxe, nem jovens *señoritas*. Nem mesmo uma intuição. Eu estava fodido. Não conseguia colocar a palavra no papel, eu estava encurralado. Bem, tudo que se pode fazer é esperar a morte chegar. Mas sempre imaginei que seria diferente. Quero dizer, imaginei que escrever seria diferente. Talvez tenha sido por causa daquele filme com Leslie Howard. Ou por causa daquela leitura sobre a vida de Hemingway ou de D.H. Lawrence. Ou então de Jeffers. Há varias maneiras diferentes de se começar a escrever. E então você escreve algumas coisas. E encontra alguns dos escritores. Os bons e os ruins. E todos possuem almas que lembram aqueles brinquedinhos de armar. Percebe-se isso logo que se entra em uma sala onde eles estão. Surge apenas um grande escritor a cada quinhentos anos e você não é este nome e eles também certamente não são. Estávamos fodidos.

Liguei a televisão e assisti um bando de médicos e enfermeiras vomitarem seus problemas amorosos. Nunca se tocavam. Não é difícil imaginar por que tinham tantos problemas. Tudo que faziam era conversar, discutir, resmungar, examinar. Fui dormir.

Vicki me acordou:
– Oh – ela disse –, me diverti tanto!
– É?
– Vi um homem num barco e eu lhe perguntei "Onde você está indo?", e respondeu: "Isto é um barco-táxi, levo as pessoas para seus barcos ou para a praia", e eu disse "Ok", e custava apenas cinquenta centavos e passeei por aí com

ele durante horas enquanto levávamos pessoas para seus barcos. Foi maravilhoso!

– Vi alguns médicos e enfermeiras – eu disse – e fiquei deprimido.

– Nós andamos de barco por horas – disse Vicki –, dei-lhe meu chapéu para que usasse e ele esperou enquanto eu comprava um sanduíche de abalone. Ele esfolou a perna, quando caiu da sua motocicleta ontem à noite.

– As campainhas daqui tocam a cada quinze minutos. É odioso.

– Pude olhar todos os barcos. Todos os velhos alcoólatras estavam a bordo. Alguns deles tinham mulheres jovens que vestiam botas. Outros tinham homens jovens. Uns velhos realmente bêbados e devassos.

Se ao menos eu tivesse a habilidade de Vicki de adquirir informações, pensei, poderia realmente escrever algo. Comigo é o seguinte: tenho que ficar sentado e esperar que a coisa venha até mim. Posso manipular tudo e espremer depois que chega, mas não posso sair a procurar. Só consigo escrever sobre beber cerveja, ir ao hipódromo e ouvir música sinfônica. Não chega a ser uma vida de merda, mas também não é uma vida plena. Como fiquei tão limitado? Antigamente eu tinha coragem. Onde foi parar a minha coragem? Os homens ficam mesmo velhos?

– Depois que desembarquei, vi um passarinho. Conversei com ele. Se importa de eu comprar o passarinho?

– Não, não me importo. Onde ele está?

– Apenas a um quarteirão de distância. Podemos ir vê-lo?

– *Por que não*?

Coloquei algumas roupas, e caminhamos até lá. Lá estava o bicho, matizado de verde com um pouco de tinta vermelha derramada sobre ele. Não era grande coisa, mesmo para um pássaro. Mas não cagava a cada três minutos como o resto deles, o que era algo agradável.

– Ele não tem pescoço. É exatamente como você. É por isso que eu o quero. É um periquito.

Voltamos com o periquito em uma gaiola. Nós o colocamos sobre uma mesa e ela o chamava de "Avalon". Vicki sentou-se e falou com ele.

– Avalon, olá, Avalon... Avalon, Avalon, olá, Avalon... Avalon, ô, Avalon...

Liguei a televisão.

O bar era legal. Sentei-me com Vicki e lhe disse que ia demolir o lugar todo. Na minha juventude, costumava pôr os bares abaixo, agora somente garganteio.

Havia uma banda. Levantei e fui dançar. Era uma barbada esse negócio de dança moderna. Bastava jogar os braços e as pernas em qualquer direção, manter o pescoço duro ou balançá-lo como um louco e todos achavam você ótimo. Dava para enganar as pessoas. Dancei, mas minha cabeça estava lá na máquina de escrever.

Sentei com Vicki e pedi mais algumas bebidas. Agarrei-lhe a cabeça e voltei-a na direção do garçom.

– Olhe, ela não é linda, cara?!

Então Ernie Hemingway apareceu com sua barba branca de rato.

– Ernie – eu disse –, pensei que você tivesse se matado com a espingarda.

Hemingway riu.

– O que você está bebendo? – perguntei.

– Por minha conta – ele disse.

Ernie pagou nossas bebidas e se sentou. Parecia um pouco mais magro.

– Escrevi uma crítica sobre seu último livro – eu lhe disse –, uma crítica negativa. Desculpe-me.

– Está tudo bem – disse Ernie. – Estão gostando da ilha?

– É para eles – eu disse.

– O que isso quer dizer?

– O público tem sorte. Tudo os agrada: casquinhas de sorvete, concertos de rock, cantorias, troca de casais, amor, ódio, masturbação, cachorros-quentes, danças *country*, Jesus Cristo, patinação, espiritualismo, capitalismo, comunismo, circuncisão, histórias em quadrinhos de jornais, Bob Hope, esquiar, pescar, assassinar, jogar boliche, debates, qualquer coisa. Eles não têm grandes expectativas e também não aproveitam como poderiam. São uma grande corja.

– Esse foi um belo discurso.

– Para um belo público.

– Você fala como um personagem de Huxley, daqueles primeiros textos.

– Acho que você está errado. Estou desesperado.

– Mas – disse Hemingway – homens se tornam intelectuais com o intuito de não se desesperarem.

– Homens se tornam intelectuais porque sentem medo, não por estarem desesperados.

– E a diferença entre sentir medo e estar desesperado é...

– Bingo! – respondi. – Um intelectual!... minha bebida...

Um pouco mais tarde, contei a Hemingway sobre o meu telegrama purpúreo e então Vicki e eu saímos e voltamos para o nosso pássaro e para a nossa cama.

– Não adianta – eu disse –, meu estômago está fodido e dentro dele reside nove décimos da minha alma.

– Tente isto – disse Vicki, e me alcançou um copo de água com Alka Seltzer.

– Vá dar uma volta por aí – eu disse –, não vou conseguir sair hoje.

Vicki saiu para seus passeios e voltou duas ou três vezes para ver se estava tudo bem. Estava tudo bem. Saí e comi e voltei com dois pacotes de seis cervejas e descobri que estava passando um filme antigo com Henry Fonda, Tyrone Power e Randolph Scott. De 1939. Eles eram todos tão jovens. Era incrível. Eu tinha dezessete anos naquela época. Mas, é claro, consegui cruzar a vida melhor do que eles. Eu continuava vivo.

Jesse James. A atuação era ruim, muito ruim. Vicki voltou e me contou uma série de coisas impressionantes e então se deitou na cama comigo e assistimos *Jesse James*. Quando Bob Ford estava prestes a atirar em Jesse (Ty Power) pelas costas, Vicki deixou escapar um gemido e correu para o banheiro para não ver a cena. Ford fez o que tinha de fazer.

– Está tudo acabado – eu disse –, pode sair agora.

Esse foi o ponto alto de nossa viagem para Catalina. Aconteceu muito pouca coisa além disso. Antes de nossa partida, Vicki foi à Câmera de Comércio e lhes agradeceu por nos terem proporcionado uma estadia tão boa. Também agradeceu a mulher no bar de Davey Jones e comprou presentes para seus amigos Lita e Walter e Ava e seu filho Mike e algo para mim e algo para Annie e algo para o sr. e a sra. Croty e também para outras pessoas que já esqueci.

Embarcamos com nossa gaiola e nosso pássaro e nosso isopor de gelo e nossa mala e nossa máquina de escrever elétrica. Encontrei um lugar no fundo do barco e sentamos lá e Vicki estava triste porque as férias haviam acabado. Antes eu encontrara Hemingway na rua, e ele tinha me dado um aperto de mão *hippie* e me perguntado se eu era judeu e se iria voltar e eu disse que não quanto a ser judeu e que não sabia se iria voltar, dependia de Vicki, e ele disse "Não quero perguntar sobre seus assuntos pessoais", e eu disse "Hemingway você realmente fala engraçado", e o barco todo se inclinou para a esquerda e balançou e jogou, e um jovem, que parecia recém-saído de uma terapia de choque, caminhava por ali entregando sacos de vômito de papel para que as pessoas vomitassem. Pensei que talvez o hidroavião fosse melhor, apenas doze minutos e bem menos gente, e São Pedro lentamente foi se aproximando, civilização, civilização, poluição e assassinato, melhor, muito melhor, os loucos e os bêbados são os últimos santos que sobraram na Terra. Nunca andei a cavalo nem joguei boliche, também não vi os Alpes Suíços, e Vicki continuava me olhando com seu sorriso tão infantil, e pensei "Ela é realmente uma mulher surpreendente", bem, já era hora de eu ter um pouco de sorte, e espichei minhas pernas e olhei bem em frente. Precisava dar outra cagada e decidi suspender a bebida.

Como amam os mortos

1.

Era um hotel perto do topo de uma colina, cuja inclinação era suficiente para ajudá-lo a descer correndo à loja de bebidas, para voltar com uma garrafa, e a volta seria uma escalada suficiente para fazer o esforço de subida valer a pena. O hotel já fora, uma vez, pintado de um verde berrante, realmente berrante, mas agora, depois das chuvas, das peculiares chuvas de Los Angeles que lavam e desbotam tudo, o verde outrora intenso se mantinha por um fio... como as pessoas que moravam ali.

Como me mudei para lá ou por que eu deixei o lugar em que morava antes é difícil de lembrar. Foi provavelmente por causa da bebida e por não trabalhar muito, e as discussões mantidas aos berros com as mulheres da vida no meio da manhã. Por discussões no meio da manhã não quero dizer dez e meia da manhã. Estou falando de discussões às três e meia da madrugada. Normalmente, se a polícia não fosse chamada, tudo acabava com um pequeno recado embaixo da porta, sempre escrito a lápis em uma tira de papel rasgado: *"Presado senhor, vamos ter que pedir para você se mudar o mais rápido poscível"*. Uma vez aconteceu no meio da tarde. A discussão tinha terminado. Varremos o vidro quebrado, colocamos todas as garrafas em sacos de papel, esvaziamos os cinzeiros, dormimos, acordamos, e eu estava metendo ferro, por cima, quando ouvi uma chave na porta. Fiquei tão surpreso que simplesmente continuei bombeando. E ele ficou lá em pé, o pequeno gerente, devia ter uns 45 anos de idade, careca, exceto pelos tufos que havia ao redor de suas orelhas e decerto de suas bolas, e ele ficou olhando para a mulher que estava debaixo de mim, caminhou até ela e apontou:

– Você... SUMA DAQUI!

Parei a foda e me deitei, olhando para ele de lado. Então ele apontou para mim.

– E VOCÊ! SUMA DAQUI TAMBÉM!

Ele se virou, saiu porta afora, fechou-a em silêncio e se afastou pelo corredor. Liguei novamente os motores e demos uma boa trepada de despedida.

De qualquer forma, lá estava eu, o hotel verde, o hotel verde desbotado, e lá estava com a minha mala cheia de trapos, sozinho, naquele momento, mas eu tinha o dinheiro do aluguel, estava sóbrio e consegui um quarto de frente para a rua, terceiro andar, o telefone do lado de fora, no corredor, diante da minha porta, um fogão elétrico perto da janela, uma pia grande, uma pequena geladeira de parede, algumas cadeiras, uma mesa, uma cama, e o banheiro era no fim do corredor. E, embora o prédio fosse muito velho, tinha até mesmo um elevador... já fora uma espelunca de classe. Agora eu estava lá. A primeira coisa que fiz foi arranjar uma garrafa e, após um trago e duas baratas mortas, já me sentia parte do lugar. Então fui ao telefone e tentei chamar uma mulher da vida que eu pressentia poder me ajudar, mas ela estava evidentemente ajudando outra pessoa.

2.

Perto das três da madrugada, alguém bateu à minha porta. Vesti meu roupão de banho rasgado e abri. Lá estava uma mulher usando seu próprio roupão de banho.

– Sim? – eu disse. – Pois não?

– Sou sua vizinha. Meu nome é Mitzi. Moro no fim do corredor. Vi você telefonando hoje.

– Sim? – eu disse.

Então ela me mostrou o que escondia atrás de si. Uma garrafa de uísque.

— Entre — eu disse.

Limpei dois copos, abri a garrafa.

— Puro ou misturado?

— Dois terços de água.

Havia um espelhinho sobre a pia, e lá estava ela enrolando seu cabelo em cachos. Alcancei-lhe um copo e me sentei na cama.

— Vi você no corredor. Sabia, só de olhar para você, que você era legal. Consigo saber só olhando. Alguns dos que moram aqui não são tão legais.

— Dizem que sou um filho da puta.

— Não acredito.

— Eu também não.

Terminei meu copo. Ela tomara apenas um gole do dela, então preparei outro para mim. Conversamos sem forçar nenhum assunto. Bebi um terceiro copo. Então me levantei e fiquei em pé atrás dela.

— Oooh, garoto *bobinho*!

Dei-lhe uma pancada.

— Ai! Você é um filho da puta!

Ela estava segurando um rolo de cabelo em uma das mãos. Puxei-a para perto e beijei aquela boquinha fina de velha. Um beijo macio e aberto. Ela estava pronta. Coloquei o copo em sua mão, levei-a para cama e fiz ela sentar.

— Beba.

Ela bebeu. Preparei outro. Eu estava sem nenhuma outra peça de roupa por baixo do meu roupão. Ele se abriu e o caralho se mostrou. Deus, como sou obsceno, pensei. Sou um canastrão. Estou na indústria cinematográfica. Nos filmes para a família do futuro, 2490 d.C. Estava com dificuldade de não rir de mim mesmo, caminhando pelo quarto com aquele caralho estúpido pendurado. O que eu realmente queria era o uísque. Queria um castelo nas montanhas. Uma sauna. Qualquer coisa, menos isso. Nós dois nos sentamos, cada um com seu copo. Beijei-a mais uma vez, enterrando minha língua com aquele gosto nauseabundo de cigarro na garganta dela. Parei para retomar o fôlego. Abri o roupão dela e lá estavam seus peitos. Não eram grande coisa, pobre criatura. Caí de boca e mandei brasa. Os peitos se espichavam e afundavam como balões velhos, cheios de ar apenas até a metade da capacidade. Enchi-me de coragem e suguei seu mamilo, enquanto ela pegava meu pau com suas mãos e arqueava as costas. Caímos assim mesmo, de costas, naquela cama barata, e, sem tirar nossos roupões, eu a possuí ali mesmo.

3.

Seu nome era Lou, era um ex-presidiário e ex-mineiro. Vivia no andar térreo do hotel. Seu último emprego tinha sido esfregar potes em um lugar em que se faziam doces. Ele perdeu aquele emprego – como todos os outros – por causa da bebida. O seguro desemprego acaba, e lá estamos nós, como ratos: sem nenhum lugar para se esconder, ratos que precisam pagar o aluguel, com barrigas que sentem fome, caralhos que ficam duros, espíritos que se cansam, e sem educação, sem profissão. Uma merda difícil de aguentar, como dizem, essa é a América. Não queríamos muita coisa e não conseguíamos nada. Era tudo uma merda.

Conheci Lou em uma dessas bebedeiras coletivas, as pessoas estavam entrando e saindo. Meu quarto era o lugar para as festas. Todo mundo vinha. Havia um índio, Dick, que furtava garrafas de bebida e escondia em seu armário. Alegava que isso lhe dava uma sensação de segurança. Quando não conseguíamos arranjar bebida em parte alguma, sempre recorríamos ao índio como nosso último recurso.

Eu não era muito bom nos furtos, mas aprendi um truque com Alabam, um ladrão com um bigodinho que tinha trabalhado, certa vez, em um hospital como auxiliar. Basta jogar a carne e as coisas caras em um saco grande e depois cobrir tudo com batatas. O atendente pesa e cobra tudo pelo preço das batatas. Mas meu forte era comprar fiado no Dick.

Havia muitos Dicks naquele bairro, e o atendente da loja de bebida também se chamava Dick. Estávamos todos sentados, e o último copo de bebida acabava. O primeiro passo era mandar alguém lá comprar algo.

— Meu nome é Hank — eu dizia ao sujeito. — Diga ao Dick que foi Hank quem o mandou, para buscar uma garrafa, e que ele pode pendurar na minha conta e, se ele tiver alguma dúvida, diga pra me telefonar.

— Ok, ok.

E lá se ia o sujeito. Esperávamos já sentindo o gostinho do uísque, contando o tempo com os cigarros que fumávamos enlouquecidamente. Então o sujeito voltava.

— Dick disse que não. Disse que você não tem mais crédito!

— MERDA! — eu gritava.

Levantava-me com os olhos injetados, tomado de uma indignação mal barbeada.

— PUTA QUE PARIU, MERDA, AQUELE FILHO DA PUTA!

Ficava realmente puto, era uma raiva genuína, não sei de onde vinha aquilo. Batia a porta, pegava o elevador e descia a colina... aquele filho da puta, aquele filho da puta sujo!... E entrava na loja de bebidas.

— Muito bem, Dick

— Olá, Hank.

— Quero DUAS GARRAFAS! (E dava o nome de duas marcas muito boas.) Dois maços de cigarros, alguns daqueles charutos e, vamos ver... uma lata daqueles amendoins, é... é isso aí.

Dick colocava tudo na minha frente e então ficava ali parado.

— Bem, você vai pagar?

— Dick, quero pôr na conta.

— Você já está devendo 23 dólares e cinquenta centavos. Antes você pagava, costumava pagar um pouco a cada semana, lembro que era toda sexta à noite. Faz pelo menos três semanas que não recebo nada. Você não é como aqueles outros vagabundos. Você tem classe. Confio em você. Não dá para me pagar um dólar de vez em quando?

– Olha, Dick, não estou disposto a discutir. Vai colocar isso daí numa sacola ou quer tudo DE VOLTA?

Então eu empurrava as garrafas e tudo mais em direção a ele e esperava, dando baforadas no cigarro como se fosse dono do mundo. Eu não tinha mais classe do que um gafanhoto. Sentia apenas medo de que ele fizesse a coisa sensata que era colocar as garrafas de volta na prateleira e me mandar para o inferno. Mas seu rosto sempre adquiria aquele ar de resignação e ele colocava tudo na sacola, e então eu esperava até que ele fizesse a conta de quanto eu estava devendo. Ele me mostrava a conta; eu assentia com a cabeça e saía. As bebidas sempre ficavam muito mais saborosas nessas circunstâncias. E quando eu entrava em meu quarto, com os suprimentos para os meninos e as meninas, sentia-me um rei de verdade.

Uma noite, eu estava sentado com Lou no quarto dele. Ele devia uma semana de aluguel e o meu estava para vencer. Bebíamos vinho do Porto. Estávamos até mesmo enrolando nossos próprios cigarros. Lou tinha uma máquina que fazia isso e eles saíam muito bons. O segredo era manter quatro paredes ao redor da gente. Dentro de quatro paredes, tinha-se uma chance. Uma vez que se está na rua, já não há chance alguma, está tudo perdido, tudo realmente perdido. Por que roubar algo se não se pode cozinhar seja lá o que for? Como vai trepar com alguém morando no beco? Como se pode transar com alguém com todo aquele ronco dos albergues municipais? E como resistir quando seus sapatos são roubados? E o fedor? E a loucura? Não dá nem para tocar uma punheta. Você precisa de quatro paredes. Dê a um homem quatro paredes por tempo suficiente e é possível que ele consiga se tornar o dono do mundo. Então estávamos um pouco preocupados. Cada passo no corredor soava como os passos da senhoria. E ela sempre fora uma senhoria muito misteriosa. Era loira e jovem e ninguém conseguia trepar com ela. Eu me fazia de indiferente, achando que ela viria até mim. E vinha e batia, como planejado, mas apenas para cobrar o aluguel. Ela tinha um marido em alguma parte, mas nós nunca o víamos. Os dois viviam na pensão, mas ao mesmo tempo não viviam. Estávamos pela bola sete. Imaginamos que se conseguíssemos comer a senhoria, nossos problemas estariam resolvidos. Era um daqueles prédios em que trepar com todas as mulheres era um costume, quase uma obrigação. Mas eu não conseguia foder essa mulher, e aquilo me deixava inseguro. Então ficávamos lá sentados, fumando nossos cigarros enrolados, bebendo nosso vinho do Porto, enquanto as quatro paredes estavam se dissolvendo, caindo, desmoronando. Conversar é o melhor em tempos como esses. A conversa corria solta, selvagem, e nós continuávamos a beber o vinho. Éramos covardes, porque queríamos viver. Não tínhamos, propriamente, amor pela vida, mas, ainda assim, queríamos viver.

– Bem – disse Lou –, acho que encontrei a solução.
– Sério?
– É.
Servi outro copo.
– Vamos trabalhar juntos.
– *Claro*.
– Veja bem, você é bom de papo, conta muitas histórias interessantes, não importa se são verdadeiras ou não...
– *As histórias são verdadeiras*.
– Quero dizer, isso não importa. Você é bom de papo. Já sei o que vamos fazer. Tem um bar de classe no fim da rua, você conhece, o Bar do Molino. Você entra lá. Tudo que precisa é de dinheiro para o primeiro copo. Vamos fazer uma vaquinha para levantar esse dinheiro. Você senta ali, fica bebericando seu drinque e procura por um sujeito que esteja esbanjando dinheiro. Aí você senta com ele e abre a matraca. Ele vai gostar. Você tem até mesmo um bom vocabulário. Bem, aí ele vai pagar bebidas a noite inteira, vai beber a noite

inteira. Faça com que ele continue bebendo. Quando chegar a hora de fechar, leve ele para a Rua Alvarado, na direção oeste, passando o beco. Diga que vai arranjar uma bucetinha bem jovem pra ele, diga o que for preciso, mas leve-o para oeste. E eu estarei esperando no beco com isso.

Lou puxou, de trás da porta, um bastão de *baseball* e era um bastão muito grande, acho que pesava no mínimo uns dois quilos.

– Jesus Cristo, Lou, você vai matá-lo!

– Não, não, sabe que não se pode matar um bêbado, você sabe disso. Talvez se ele estivesse sóbrio isso o matasse, mas bêbado, no máximo dá pra nocauteá-lo. Levamos a carteira, e dividimos meio a meio.

– Escuta, Lou, sou um bom sujeito, não posso fazer isso.

– Você não é um bom sujeito. É o filho da puta mais malvado que já conheci. É por isso que gosto de você.

4.

Encontrei um. Um bem gordo. Fui demitido por gordos estúpidos como ele ao longo de toda a minha vida. De empregos ínfimos, malpagos, árduos e idiotas. Seria ótimo. Comecei a falar. Não sei sobre o que estava falando. Ele estava rindo e rindo e assentindo com a cabeça e pagando bebidas. Ele tinha um relógio de pulso, uma mão cheia de anéis, uma carteira estupidamente cheia. Era um trabalho duro. Contei histórias sobre prisões, sobre gangues ferroviárias, sobre puteiros. Ele gostava das histórias de puteiros.

Contei sobre o sujeito que vinha a cada duas semanas e pagava bem. Tudo o que ele queria era uma puta no quarto com ele, para lhe fazer companhia. Os dois tiravam as roupas e jogavam cartas e conversavam. Só ficavam lá sentados. Então, depois de umas duas horas, ele se levantava, se vestia, dava tchau e saía. Nunca tocou em uma puta.

– Puta merda – ele disse.

– É...

Decidi que não me importaria se Lou batesse naquela cabeça gorda com força suficiente para fazer um *homerun*. Que maldição. Que monte de merda inútil.

– Você gosta de garotinhas? – perguntei.

– Oh, sim, sim, sim.

– Na faixa dos catorze?

– Ah, meu Deus, claro que sim.

– Tem uma chegando à uma e meia da manhã em um trem de Chicago. Ela vai chegar na minha casa perto das duas e dez da madrugada. Ela é linda, gostosa, inteligente. Estou me arriscando muito, então vou cobrar dez dólares. Será que é muito?

– Não, está ótimo.

– Ok, quando este lugar fechar, você vem comigo.

Por fim, eram duas da manhã, e eu o levei para fora, em direção ao beco. Talvez Lou não estivesse lá. Talvez o vinho o derrubasse ou ele simplesmente desistisse. Um golpe daqueles podia matar um homem. Ou deixá-lo aleijado para sempre. Cambaleamos pelo luar. Não havia mais ninguém por perto, ninguém nas ruas. Seria fácil.

Cruzamos o beco. Lou estava lá. Mas o Gordão o viu. Ele jogou um braço pra cima e se abaixou quando Lou deu o golpe. O bastão me acertou bem atrás da orelha.

5.

Lou recuperou o velho emprego, aquele que tinha perdido por beber demais, e jurou que só iria beber nos finais de semana.

– Ok, parceiro – eu lhe disse –, fique longe de mim, sou um bêbado e bebo o tempo todo.

– Eu sei, Hank, e gosto de você, gosto mais de você do que de qualquer outro homem que já conheci, tenho que conseguir beber só nos finais de semana, só nas sextas-feiras e nos sábados e nada no domingo. Antigamente eu sempre acabava faltando nas manhãs de segunda e foi por isso que perdi o emprego. Vou ficar afastado, mas quero que você saiba que não é por sua causa.

– Exceto por eu ser um pinguço.

– É... bem, também tem isso.

– Tudo bem, Lou, só não venha bater à minha porta antes de sexta ou sábado à noite. Você pode ouvir cantorias e risadas de belas garotas de dezessete anos de idade, mas não venha bater aqui.

– Cara, você só pega barangas.

– Mas elas parecem ter dezessete quando a boa uva faz efeito.

Ele continuou me explicando a natureza de seu trabalho, algo relacionado com a limpeza de máquinas de fazer doce. Era um trabalho sujo e grudento. O chefe contratava apenas ex-presidiários e os fazia trabalhar até a morte. Ele xingava os ex-presidiários o dia inteiro e não havia nada que pudessem fazer a respeito. Ele diminuía os salários e não havia nada que pudessem fazer a respeito. Se reclamassem, eram demitidos. Muitos deles estavam em condicional. O chefe os tinha na palma da mão.

– Parece que esse cara merece morrer – eu disse a Lou.

– Bem, ele gosta de mim, diz que sou o melhor trabalhador que ele já teve, mas que eu preciso largar a garrafa, ele precisa de alguém em quem possa confiar. Até me levou para a casa dele uma vez para que eu pintasse algumas coisas, pintei o banheiro, fiz um bom trabalho. Ele tem um casa na colina, um lugar grande, e você tem de ver a esposa dele. Nem sabia que faziam mulheres daquele jeito, tão bonita: seus olhos, suas pernas, seu corpo, o jeito que caminhava e falava, puta que pariu.

6.

Bem, Lou não estava mentindo. Fiquei sem vê-lo por algum tempo, inclusive nos finais de semana, e, enquanto isso, eu atravessava uma espécie de inferno pessoal. Estava muito nervoso, atacado dos nervos: um barulhinho qualquer e eu saltava de susto. Eu tinha medo de ir dormir: pesadelo depois de pesadelo, cada um mais terrível do que o anterior. Ficava tudo bem se eu fosse dormir completamente bêbado, aí não acontecia nada, mas se fosse dormir meio bêbado ou, pior ainda, sóbrio, então os sonhos começavam, sem falar que eu nunca tinha certeza se estava dormindo ou se as coisas estavam acontecendo dentro do quarto, porque, quando dormia, sonhava com o quarto inteiro, os pratos sujos, os ratos, as paredes que se enrugavam por causa da umidade, as calcinhas carimbadas que alguma puta deixou no chão, a torneira vazando, a lua como um projétil lá fora, carros cheios de pessoas sóbrias e bem-alimentadas, faróis brilhando pela janela, tudo, tudo aquilo, e eu em alguma espécie de canto escuro, escuro demais, sem ajuda, sem motivo, sem motivo algum, em um canto escuro, suando, na escuridão e na sujeira, em meio ao fedor da realidade, o fedor de tudo: aranhas, olhos, senhorias, calçadas, bares, prédios, grama, a ausência de grama, nada daquilo pertencia a você. Os elefantes cor-de-rosa nunca apareciam, mas sim diversos homenzinhos com gestos selvagens ou então um homem enorme e aterrador, que vem estrangulá-lo ou afundar seus dentes na parte de trás do seu pescoço, você deitado de costas chafurdando em seu próprio suor, incapaz de se mover, essa coisa preta, fedorenta e cabeluda está parada ali, em cima de você, em você, em você.

Quando não era isso, era eu ficar sentado durante dias, horas de medo incomunicável, o medo se abrindo no meio do peito como um grande botão em flor, não se podia analisar o que estava acontecendo, imaginar o porquê de tudo aquilo, o que tornava as coisas ainda piores. Horas sentado em uma cadeira no meio de um quarto passam rápidas e impactantes. Cagar ou mijar são esforços tremendos, sem sentido; pentear o cabelo ou escovar os dentes: atos ridículos ou insanos. Cruzar um mar de chamas. Ou servir água em um copo para beber: parece que você não tem direito mesmo a um ato simples como esse. Decidi que estava louco, imprestável, e isso fez com que eu me sentisse sujo. Fui à biblioteca e tentei encontrar livros sobre o que fazia com que as pessoas se sentissem do jeito que eu estava me sentindo, mas os livros não estavam lá, ou, se estavam, eu não podia compreendê-los. Ir até a biblioteca não era nada fácil: todos pareciam tão confortáveis, os bibliotecários, os leitores, todos menos eu. Tive dificuldade até mesmo para usar o banheiro da biblioteca... os vagabundos lá dentro, as bichas me olhando mijar, todos pareciam mais fortes do que eu... despreocupados e seguros. Continuei saindo de casa para caminhar, atravessava a rua e subia uma escada em caracol de um prédio de concreto onde eram estocadas milhares de caixas de laranjas. Uma placa no telhado de outro prédio dizia JESUS SALVA, mas nem Jesus nem as laranjas valiam o esforço de subir aquelas escadas e entrar naqueles prédios de concreto. Eu não podia deixar de pensar que ali era o meu lugar, dentro de uma tumba de concreto.

A perspectiva do suicídio estava sempre presente, forte, como formigas correndo pelas veias dos pulsos. Suicídio era a única coisa positiva. Todo o resto era negativo. E havia o Lou, feliz, limpando o interior de máquinas de fazer doces para continuar vivo. Ele era mais sábio do que eu.

7.

Nessa época, conheci uma mulher em um bar, um pouco mais velha do que eu, muito sensata. Suas pernas ainda estavam boas, ela tinha um senso de humor fora do comum e roupas muito caras. Ela estava saindo de uma relação com um homem rico. Fomos para a minha casa e moramos juntos. Ela tinha uma bela bunda, mas tinha que beber o tempo todo. Seu nome era Vicki. Trepávamos e bebíamos vinho, bebíamos vinho e trepávamos. Eu tinha um cartão da biblioteca e ia até lá todos os dias. Não lhe fiz qualquer menção sobre a história do suicídio. Sempre era uma grande piada, a minha chegada da biblioteca. Eu abria a porta, e ela me olhava e dizia:

– O *quê*? Não tinham livros lá?

– Vicki, eles não têm nenhum livro na biblioteca.

Eu entrava e tirava a garrafa de vinho (ou garrafas) da sacola e nós começávamos.

Uma vez, depois de uma semana bebendo, decidi me matar. Não contei nada a ela. Imaginei que me mataria quando ela estivesse no bar procurando por "dinheiro vivo". Não gostava da ideia daqueles idiotas ricos transando com ela, mas ela me trazia dinheiro e uísque e charutos. Ela me dava a parte que cabia ao único homem que ela realmente amava. Ela me chamava de "sr. Van Bilderass" por algum motivo que eu não conseguia descobrir. Ficava bêbada e dizia:

– Você acha que é grande coisa, você acha que é o sr. Van Bilderass!

Durante todo o tempo, sem folga, eu maquinava a ideia de como iria me matar. Um dia, tinha certeza de que me mataria. O que segue ocorreu depois de termos passado uma semana inteira bebendo vinho do Porto, tínhamos comprado jarros enormes que alinhamos no chão e atrás dos jarros enormes alinhamos garrafas normais de vinho, oito ou nove garrafas, e atrás das garrafas de tamanho normal, alinhamos quatro ou cinco garrafas pequenas. Noite e dia se esvaíam. Tudo que fazíamos era foder e conversar e beber, conversar e beber e foder. Violentas discussões que acabavam na cama. Ela era uma foda deliciosa, como uma pequena leitoa, toda firme e sempre a guinchar. Uma mulher em duzentas. Com a maioria das outras, trepar era uma farsa, uma piada. De qualquer forma, talvez por causa de tudo isso, da bebida e do fato de aqueles ricos cretinos treparem com Vicki, acabei ficando muito doente e deprimido, mas, ainda assim, que raios eu podia fazer? Trabalhar em um torno mecânico?

Quando o vinho varria com a depressão, o medo, a inutilidade de continuar existindo se tornavam pesados demais e eu sabia que ia me matar. Na primeira vez que ela sair do quarto, estará tudo acabado para mim. Não tinha ainda bem certeza de como, mas havia centenas de maneiras. Tínhamos um pequeno forno a gás. Gás era uma opção charmosa. Gás é como um beijo. Deixa o corpo inteiro. O vinho tinha acabado. Eu mal podia caminhar. Exércitos de medo e suor corriam por todo o meu corpo. No final tudo se torna bastante simples. O maior alívio possível é nunca ter de passar por outros seres humanos na calçada, vê-los carregando suas banhas por aí, ver seus pequenos olhos de rato, suas caras cruéis e dissimuladas, o modo como desabrocham suas bestialidades. Que sonho bom: nunca mais olhar na cara de outro ser humano.

– Vou pegar o jornal para ver que dia é hoje, tudo bem?
– Claro – ela disse –, claro.

Saí pela porta. Ninguém no corredor. Nenhum ser humano. Eram aproximadamente dez horas da noite. Desci no elevador que fedia a urina. Foi preciso muita força para ser engolido por aquele elevador. Desci a colina. Quando eu voltar, ela terá partido. Ela se mexia ligeiro quando acabava a bebida. Então eu conseguiria fazer a coisa toda. Mas primeiro gostaria de saber que dia era hoje. Desci a colina e, ali perto da farmácia, ficava a estante de jornais. Olhei a data. Era sexta-feira. Muito bem, sexta-feira. Um dia tão bom quanto qualquer outro. Isso significava alguma coisa. Então li a manchete:

PRIMO DE MILTON BERLE É ATINGIDO NA
CABEÇA POR PEDRA

Não entendi bem. Inclinei-me para me aproximar e li novamente. Era a mesma coisa:

PRIMO DE MILTON BERLE É ATINGIDO NA
CABEÇA POR PEDRA

Isso estava escrito em tipos grandes, tipos pretos, a manchete do jornal. De todas as coisas importantes que tinham acontecido no mundo, essa era a manchete deles.

PRIMO DE MILTON BERLE É ATINGIDO NA CABEÇA POR PEDRA

Atravessei a rua, me sentindo muito melhor, e caminhei até a loja de bebidas. Comprei duas garrafas de vinho do Porto e um maço de cigarros, tudo fiado. Quando voltei para casa, Vicki ainda estava lá.

– Que dia é hoje? – ela perguntou.
– Sexta-feira.
– Ok – ela disse.

Servi dois copos cheios de vinho. Havia ainda um pouco de gelo no pequeno refrigerador de parede. Os cubos boiavam tranquilamente.

– Não quero deixá-lo infeliz – Vicki disse.
– Sei que não.
– Beba um gole primeiro.
– Claro.
– Um bilhete chegou por baixo da porta enquanto você não estava.
– É.

Bebi um gole, engasguei, acendi um cigarro, tomei outro gole, então ela me passou o bilhete. Era uma noite quente em Los Angeles. Uma sexta-feira. Li o bilhete:

Caro sr. Chinaski: você tem até a próxima quarta-feira para quitar o aluguel que deve. Se não o fizer, será despejado. Sei dessas mulheres no seu quarto. E você faz muito barulho. E você quebrou a sua janela. Você está pagando para ter esses privilégios. Ou deveria estar pagando. Tenho sido muito gentil com você. Dou-lhe até a próxima quarta-feira ou estará na rua. Os inquilinos estão cansados de todo esse barulho e das brigas e das cantorias dia e noite, noite e dia, e eu também estou cansada. Você não pode morar aqui sem pagar aluguel. Não diga que não lhe avisei.

Bebi o resto do vinho, quase derramei. Era uma noite quente em Los Angeles.

– Estou cansada de foder com aqueles otários – ela disse.

– Vou arranjar o dinheiro – eu lhe disse.

– Como? Você não sabe fazer nada.

– Sei disso.

– Então o que vai fazer?

– Darei um jeito.

– O último cara me comeu três vezes. Minha buceta está em carne viva.

– Não se preocupe, querida, sou um gênio. O único problema é que ninguém sabe disso.

– Um gênio em *quê*?

– Não sei.

– Sr. Van Bilderass!

– Sou eu. Por falar nisso, você sabe que o primo de Milton Berle foi atingido na cabeça por uma pedra que caiu de algum lugar?

– Quando?

– Hoje ou ontem.

– Que tipo de pedra?

– Não sei. Acho que algum tipo de pedra grande e de um amarelo amanteigado.

– E quem se importa?

– Eu não. Com certeza não. Exceto que...

– Exceto o quê?

– Acho que graças àquela pedra é que estou vivo.

– Você fala como um idiota.

– Eu sou um idiota.

Sorri e derramei um bocado de vinho à minha volta.

Todos os cus do mundo e também o meu

"Nenhum sofrimento humano é maior do que o planejado pela natureza."
– Conversa ouvida em um jogo de dados.

1.

Era a nona corrida e o nome do cavalo era Queijo Verde. Ele ganhou por seis corpos, e recebi 52 dólares em cinco investidos, e como eu já ia alto, pedi outra bebida.

– Me dá um copo de queijo verde – disse ao garçom.

Não o confundi. Ele sabia o que eu estava bebendo. Eu estivera encostado ali toda a tarde. Estivera bêbado desde a noite anterior e, quando cheguei em casa, é claro, tinha de beber um pouco mais. Estava pronto. Tinha uísque, vodca, vinho e cerveja. Um agente funerário ou outra pessoa qualquer ligou perto das oito da noite e disse que gostaria de me ver.

– Certo – eu disse – traga a bebida.
– Importa-se que eu leve alguns amigos?
– Não tenho amigos.
– Estou falando dos meus amigos.
– Não me importo – eu lhe disse.

Fui até a cozinha e servi um copo de água e enchi os três quartos restantes de uísque. Bebia direto exatamente como antigamente. Costumava beber uma garrafa em uma hora e meia ou duas.

– Queijo Verde – eu disse para as paredes da cozinha.

Abri uma lata grande de cerveja congelada.

2.

O agente funerário chegou e pôs-se ao telefone, logo depois muitas pessoas estranhas começaram a chegar, todas trazendo bebidas. Havia muitas mulheres e eu sentia vontade de estuprar todas elas. Sentei no tapete, sentindo a luz elétrica, sentindo o álcool escorrendo pelo meu corpo como um desfile de carnaval, atacando a tristeza e a loucura da minha alma.

– Nunca mais terei de trabalhar! – eu lhes disse. – Os cavalinhos vão cuidar de mim como nenhuma puta JAMAIS fez!

– Sabemos disso, sr. Chinaski! Sabemos que você é um GRANDE homem!

Era um homenzinho idiota e grisalho sentado no sofá, esfregando as mãos, me olhando de soslaio com lábios úmidos. Ele realmente pretendia algo. Ele me deixava enjoado. Acabei de beber o que estava no copo na minha mão e encontrei outro em alguma parte e bebi aquele também. Comecei a falar com as mulheres. Prometi-lhes todas as delícias de meu poderoso caralho. Elas riram. Eu estava falando sério. Era para já. Ali mesmo. Movi-me na direção delas. Os homens me contiveram. Para um homem conhecedor do mundo, eu era muito parecido com um garoto de colégio. Se eu não fosse o grande sr. Chinaski, alguém teria me matado. Dando sequência ao espetáculo, tirei minha camiseta e me ofereci para deitar no gramado com alguém. Tive sorte. Ninguém sentiu vontade de me pisotear.

Quando minha mente recobrou a lucidez, eram quatro horas da manhã. Todas as luzes estavam acesas e todos já tinham partido. Eu ainda estava sentado ali. Encontrei uma cerveja quente e a bebi. Então fui para a minha cama com aquela sensação que todos os bêbados conhecem bem: de que tinha sido um idiota, mas também à puta que pariu com isso.

3.

Vinha sofrendo com as hemorróidas por quinze ou vinte anos; também tive úlceras perfuradas, problemas no fígado, furúnculos, neuroses, problemas de ansiedade, vários tipos de insanidade, mas no fim você segue o baile, torcendo para que tudo não desmorone de uma só vez.

Parecia que aquela bebedeira quase tinha dado conta de tudo. Sentia tonturas e fraqueza, mas isso era comum. Eram mesmo as hemorróidas. Não respondiam positivamente a nenhum tratamento: banhos quentes de imersão, pomadas, nada ajudava. Meus intestinos se projetavam quase que para fora do meu cu, como o rabo de um cachorro. Fui a um médico. Ele simplesmente olhou e disse:

– Operação.

– Tudo bem – eu disse –, o único problema é que sou um covarde.

– Baum, isto vai fazerr tuda mais difícil.

"Seu nazista filho da puta", pensei.

– Quero que você tomar essa laxante no terça-feira à noite, então às sete horras da manhã você vai levantar, sim? Então fazer em si mesmo uma lafagem intestinal, continuar lafando tuda até ficar pem limpinho, sim? Então darei mais um olhada em você às dez da manhã. Quarta-feira pela manhã.

– Sim, meu carrro – eu disse.

4.

O tubo para a limpeza intestinal escorregava continuamente para fora e todo o banheiro ficou molhado e fazia frio e minha barriga doía e eu estava me afogando em muco e merda. É assim que o mundo acaba, não com uma bomba atômica, mas com merda, merda e mais merda. No kit que comprei, não havia nada que contivesse o fluxo da água, não havia empunhadura, e meus dedos não estavam dando conta, então a água entrava em um jato forte e saía em um jato forte. Precisei de uma hora e meia para completar o serviço e, àquela altura, minhas hemorróidas estavam no comando do mundo. Várias vezes pensei em desistir e morrer. Encontrei uma lata de resina de terebintina pura em meu armário. Era uma lata vermelha e verde, linda. "PERIGO!", dizia na lata, "prejudicial ou fatal se ingerida". Eu era um covarde: pus a lata de volta no lugar.

5.

O médico me colocou em uma mesa.

– Agora, apenas relaxar o bunda, sim? Relaxar, relaxar...

Subitamente ele enfiou uma caixa em formato de cunha no meu cu e começou a desenrolar sua cobra que começou a subir pelos meus intestinos procurando por um bloqueio, procurando por um câncer.

– Rá! Isso doer um pouquino, *nein*? Então pode uivar como um cachorro, vai, rá, rá, rá, rá!

– Seu veado, filho da puta!

– Quê?

– Merda, merda, merda! Seu pau no cu! Seu porco, sádico... Você queimou Joana no poste, colocou pregos nas mãos de Cristo, votou a favor da guerra, votou em Goldwater, votou em Nixon... Filho da puta! O que está FAZENDO comigo?

– Já vai acabar. Você ir muito bem. Assim, ser bom paciente.

Voltou a enrolar a serpente e então o vi espiar por algo que parecia com um periscópio. Meteu um pouco de gaze no meu rabo e eu levantei e coloquei minhas roupas.

– E a operação será de quê?

Ele sabia o que eu estava querendo dizer.

– Apenas hemorróidas.

Espiei as pernas da enfermeira dele enquanto saía. Ela sorriu com doçura.

6.

Na sala de espera do hospital, uma garotinha olhava nossas caras cinzentas, nossas caras brancas, nossas caras amarelas...

– Todo mundo está morrendo! – ela proclamou.

Ninguém respondeu. Virei a página de um antigo número da revista *Time*.

Depois da rotina de preencher formulários... amostras de urina... sangue, fui levado para uma enfermaria com quatro camas, no oitavo andar. Quando a pergunta sobre religião surgiu, eu respondi:

– Católico.

Disse isso apenas para me livrar dos olhares e das perguntas que normalmente aparecem quando alguém anuncia não ter religião. Estava cansado de todas as discussões e da burocracia. Era um hospital católico: talvez recebesse um tratamento melhor ou as bênçãos do Papa.

Bem, eu estava trancado naquela enfermaria com outros três caras. Logo eu, o monge, o misantropo, o apostador, o *playboy*, o idiota. Estava tudo acabado. A amada solidão, a geladeira cheia de cervejas, os charutos na cômoda, os números de telefone de mulheres com pernas e bundas grandes.

Tinha um com uma cara amarela. Ele parecia de alguma forma com um pássaro grande e gordo, que tinha sido mergulhado em urina e secado ao sol. Ele insistia em apertar o botão. Tinha uma voz chorosa, uma voz que parecia estar sempre aos prantos, miando como um gatinho.

– Enfermeira, enfermeira, onde está o dr. Thomas? O dr. Thomas me deu um pouco de codeína ontem. Onde está o dr. Thomas?

– Não sei onde está o dr. Thomas.

– Posso tomar uma pastilha contra tosse?

– Estão aí na sua mesa.

– Elas não estão aliviando minha tosse, e aquele remédio para tosse também não é bom.

– Enfermeira! – gritou um sujeito grisalho da cama a nordeste. – Posso, por favor, beber mais café? Gostaria de mais um café.

– Verei – ela disse e saiu.

Da minha janela dava para ver as colinas, um aclive de colinas se erguendo. Eu olhava para as colinas. Estava escurecendo. Nada além de casas nas colinas. Casas velhas. Tive a estranha sensação de que as casas estavam desocupadas e de que todo mundo tinha morrido, que todos tinham desistido. Ouvia os três homens reclamando da comida, do preço da enfermaria, dos médicos e das enfermeiras. Quando um falava, os outros dois pareciam não estar escutando, não respondiam. Então outro começava a falar novamente. Falavam em turnos. Não havia mais nada a fazer. Falavam vagamente, trocando de assunto. Eu estava em um quarto com um caipira, um operador de câmera e o pássaro amarelo e mijado. Do lado de fora da minha janela, uma cruz apareceu no céu... primeiro era azul, então ficou vermelha. Logo era noite e eles fecharam um pouco as cortinas ao redor de nossas camas e me senti melhor, mas percebi, estranhamente, que a dor ou a possível morte não me aproximavam da humanidade. Visitantes começaram a chegar. Ninguém veio me visitar. Sentia-me como um santo. Olhei pela minha janela e vi um sinal perto da cruz que mudava de vermelho para azul no céu. "MOTEL", dizia. Corpos lá dentro em um compasso mais agradável. O da foda.

7.

Um pobre diabo vestido de verde veio até onde eu estava e depilou o meu cu. Existem empregos tão terríveis neste mundo! Havia um emprego que eu ainda não conhecia.

Colocaram uma touca de banho em minha cabeça e me colocaram em uma cama com rodas. Era isso. Cirurgia. O covarde deslizando pelos corredores, passando pelos mortos. Havia um homem e uma mulher. Eles me empurravam e sorriam, pareciam muito tranquilos. Colocaram-me em um elevador. Havia quatro homens no elevador.

– Estou indo para a cirurgia. Alguma das moças gostaria de trocar de lugar comigo?

Eles se aproximaram das paredes e se negaram a responder.

Na sala de operação, esperamos pela chegada de Deus. Ele finalmente entrou:

– Muito bem, muito bem, muito bem, aí estar a minha amigo!

Nem fiz menção de reagir a tal mentira.

– Vire de barriga, por favorr.

– Bem – eu disse –, acho que é tarde demais para mudar de ideia agora.

– Sim – disse Deus –, agora estar em nosso poderr!

Senti uma faixa passar pelas minhas costas. Abriram minhas pernas. A agulha da primeira anestesia raquidiana perfurou as minhas costas. Senti que ele estava espalhando toalhas ao redor do meu cu e por sobre as minhas costas. Mais uma. Uma terceira. Continuei falando. O covarde, o homem-espetáculo, assobiando no escuro.

– Coloquem ele para dormirr, sim – ele disse.

Senti uma picada no cotovelo, uma agulhada. Não adiantou. Muitas bebedeiras nas costas.

– Alguém tem um charuto? – perguntei.

Alguém riu. Eu estava ficando cafona. Estava fora de forma. Decidi ficar quieto.

Podia sentir o bisturi cortando meu cu. Não havia dor.

– Então, essa – ouvi-o dizer –, essa ser a principal obstrução, vê? E aqui...

8.

A recuperação foi aborrecida. Havia algumas belas mulheres caminhando por ali, mas pareciam me ignorar. Ergui-me, apoiando-me no cotovelo, e olhei ao redor. Corpos por toda a parte. Bastante pálidos e imóveis. Operações de verdade. Tuberculosos. Cardíacos. Tudo. Senti-me de alguma forma como um amador e não pude impedir que um pouco de vergonha aflorasse. Fiquei feliz quando me levaram para fora dali. Meus três companheiros de quarto realmente ficaram me encarando quando me levaram novamente para lá. Falta de educação. Rolei da maca para a cama. Descobri que minhas pernas ainda estavam dormentes e que não tinha controle sobre elas. Decidi dormir. Todo o lugar era deprimente. Quando acordei, meu cu estava realmente doendo. Mas as pernas ainda estavam adormecidas. Peguei meu pau na mão e parecia que ele não estava lá. Quero dizer, não havia nenhuma sensibilidade. Exceto a sensação de querer mijar e não conseguir. Era horrível e tentei não pensar nisso.

Uma das minhas ex-amantes veio me visitar e ficou ali sentada, me olhando. Havia contado a ela que iria me operar. Por que motivo, não sei.

– Olá! Como tem passado?

– Bem, só que não consigo mijar.

Ela sorriu.

Conversamos um pouco sobre um assunto qualquer e depois ela partiu.

9.

Era como no cinema: todos os enfermeiros homens pareciam ser homossexuais. Apenas um deles parecia mais másculo do que os outros.

– E aí, camarada!

Ele se aproximou.

– Não consigo mijar. Quero mijar, mas não consigo.

– Já volto. Vou dar um jeito nisso.

Esperei um pouco. Então ele voltou, fechou a cortina ao redor da minha cama e se sentou.

Jesus, pensei, o que ele vai fazer? Tocar uma punheta?

Em seguida, porém, olhei melhor e ele parecia trazer alguma espécie de máquina consigo. Observei enquanto ele tirou uma agulha oca e a fez entrar pelo buraco por onde saía o mijo do meu pau. Aquela sensação de que minha pica não estava mais ali subitamente passou.

– Merda, puta merda! – eu disse baixinho.

– Não é a coisa mais agradável do mundo, é?

– Não é mesmo, não é mesmo. Tenho que concordar. *Uiiiii*! Merda, cacete!

– Já vai acabar.

Ele pressionou minha bexiga. Dava para ver o pequeno aquário quadrado se enchendo de mijo. Essa é uma das partes que eles deixam de fora nos filmes.

– Deus do céu, colega, piedade! Vamos encerrar a noite.

– Só um momento. Agora.

Ele retirou a agulha. Lá fora, pela janela, minha cruz azul e vermelha piscava, piscava. Cristo pendurado na parede com um pedaço de palmeira seca enfiada em seus pés. Não surpreende que homens tenham se voltado para os deuses. Era bem difícil encarar tudo de frente.

– Obrigado – eu disse ao enfermeiro.

– Estou à sua disposição.

Abriu novamente a cortina e saiu com sua máquina.

Meu pássaro mijado apertou o botão.

– Onde está aquela enfermeira? Por que a maldita não aparece?

Apertou novamente o botão.

– Será que esse botão está funcionando? Tem algo errado com o meu botão?

A enfermeira entrou.

– Minhas costas estão doendo! Ai, minhas costas doem terrivelmente! Ninguém veio me visitar! Imagino que os colegas notaram isso! Ninguém veio me ver! Nem mesmo a minha esposa! Onde está minha esposa? Enfermeira, eleve um pouco o encosto da minha cama, minhas costas estão doendo! ISSO! Mais alto! Não, não, meu Deus, está muito alto! Mais baixo! Mais baixo! Para! Onde está meu jantar? Não jantei ainda! Veja bem...

A enfermeira saiu.

Fiquei pensando na pequena máquina de mijar. Provavelmente terei de comprar uma, carregá-la por aí durante toda a minha vida. Agachar-me nos becos, atrás de árvores, no assento traseiro do meu carro.

O caipira, na cama número um, não tinha dito muita coisa.

– É o meu pé – ele subitamente disse para as paredes. – Não consigo entender, meu pé simplesmente inchou durante a noite e não quer desinchar. Dói, dói.

O sujeito grisalho no canto apertou seu botão.

– Enfermeira – ele disse –, enfermeira, que tal me arranjar um bule de café?

Realmente, pensei, meu principal problema é não enlouquecer.

10.

No dia seguinte, o velho grisalho (o operador de câmeras de cinema) trouxe seu café e sentou-se em uma cadeira perto da minha cama.

– Não suporto aquele filho da puta.

Ele estava falando do pássaro mijado. Bem, não havia nada a fazer com o grisalho, exceto conversar com ele. Contei-lhe que o álcool era o principal responsável pela situação de minha vida atual. Por diversão, contei-lhe sobre algumas das minhas bebedeiras mais selvagens e algumas das coisas mais loucas que me aconteceram. Ele também tinha algumas histórias boas.

– Antigamente – ele me disse –, existiam esses vagões grandes e vermelhos que corriam entre Glendale e Long Beach, acredito que era isso. Corriam o dia inteiro e a maior parte da noite, exceto pelo intervalo de uma hora e meia, acho que era entre as três e meia e as cinco e meia da manhã. Bem, eu estava bebendo, certa noite, e encontrei um amigo no bar e, depois que o bar fechou, fomos para a casa dele e terminamos com algumas garrafas que ele tinha deixado por lá. Saí da casa dele e meio que me perdi. Acabei em uma rua sem saída, mas ainda não sabia desse detalhe. Continuei dirigindo e estava indo bem rápido. Continuei até que atingi os trilhos do trem. Quando atingi os trilho, minha direção subiu e me acertou no queixo e me nocauteou. Lá estava eu, atravessado naqueles trilhos, dentro do carro que tinha me nocauteado. Só que tive sorte, porque foi durante aquela hora e meia em que nenhum trem circulava. Não sei quanto tempo fiquei inconsciente. Mas a buzina do trem me acordou. Despertei e vi esse trem vindo pelos trilhos na minha direção. Tive tempo apenas para ligar o carro e dar ré. O trem passou rasgando. Dirigi o carro até a minha casa, as rodas da frente estavam completamente tortas e bamboleando.

– Que emocionante.

– Outra vez, eu estava sentado num bar. Bem em frente, do outro lado da rua, havia um lugar onde os ferroviários comiam. O trem parava, e os homens desciam para comer. Estou sentado ao lado de algum sujeito nesse bar. Ele se vira para mim e diz: "Eu costumava dirigir uma dessas coisas e posso voltar a dirigir. Venha e me veja dar a partida". Caminhei com ele, e escalamos a locomotiva. Realmente ele sabia manejar aquilo. Conseguimos uma boa velocidade. Então comecei a pensar, mas que diabos estou fazendo? Falei para o sujeito: "Não sei você, mas eu vou descer!". Eu sabia o suficiente sobre trens para saber onde eram os freios. Dei um puxão nos freios e, antes que o trem parasse, saí pela lateral. Ele saiu pelo outro lado, e nunca mais o vi. Logo havia uma grande multidão ao redor do trem, policiais, investigadores ferroviários, mecânicos, jornalistas, espectadores. Eu também estou ali de pé do lado do trem, com o resto da multidão, observando. "Venha, vamos subir e descobrir o que está acontecendo!", disse alguém ao meu lado. "Não vale a pena", eu disse, "é só um trem". Estava com medo de que alguém tivesse me visto. No dia seguinte, a história estava nos jornais. A manchete dizia: TREM VAI SOZINHO ATÉ PACOIMA. Recortei a notícia e guardei. Guardei aquele recorte por dez anos. Minha esposa via aquilo. "Por que você está guardando isso? TREM VAI SOZINHO ATÉ PACOIMA?" Nunca contei a ela. Eu ainda tinha medo. Você é o primeiro sujeito para quem conto essa história.

– Não se preocupe – eu lhe disse –, nenhuma alma jamais ouvirá essa história novamente.

Então meu cu realmente começou a doer, e o sujeito grisalho sugeriu que eu pedisse uma injeção anestésica. Foi o que fiz. A enfermeira me deu uma injeção na bunda. Ela deixou a cortina fechada quando partiu, mas o grisalho continuava sentado ali. Na verdade, ele tinha um visitante. Um visitante com uma voz que ressoava diretamente em minhas entranhas estropiadas. Ele realmente mandava ver.

– Vou mover todos os navios ao redor da entrada da baía. Vamos filmar ali mesmo. Estamos pagando ao capitão de um daqueles barcos 890 dólares por mês, e ele tem dois garotos que o obedecem. Temos essa frota bem ali. Vamos usá-la, acho. O público está pronto para uma história sobre o mar. Não assistem a uma boa história sobre o mar desde Errol Flynn.

– É... – disse o grisalho – essas coisas são cíclicas. O público está pronto agora. Realmente precisam de uma boa história sobre o mar.

– Claro, há muitos garotos que nunca viram um bom filme passado no mar. E falando de crianças, é só o que vou usar. Vou filmá-las todas sobre os barcos. As únicas pessoas velhas que usaremos serão para os papéis principais. Vamos apenas mover aqueles barcos ao redor da baía e vamos filmar lá mesmo. Dois dos barcos precisam de mastros, é só isso que há de errado com eles. Arranjaremos os mastros e depois começamos.

– Certamente o público está pronto para uma história no mar. É um ciclo e o ciclo se fechou.

– Estão preocupados com o orçamento. Porra, isso não vai custar nada. Por quê...

Puxei a cortina para trás e falei para o sujeito grisalho:

– Olha, vocês podem achar que sou um chato, mas vocês estão justamente do lado da minha cama. Não dá para levar seu amigo lá para a sua cama?

– Claro, claro!

O produtor se levantou.

– Caralho, me desculpe. Não tinha percebido...

Ele era gordo e sórdido, satisfeito, feliz, revoltante.

– Ok – eu disse.

Eles foram até a cama do grisalho e continuaram a falar sobre a história que se passava no mar. Todos os agonizantes do oitavo andar do Hospital da Rainha dos Anjos podiam ouvir sobre a história que se passava no mar. O produtor finalmente foi embora. O grisalho me olhou.

– Esse é o maior produtor do mundo. Produziu mais filmes bons do que qualquer homem vivo. Aquele sujeito é o John F.

– John F. – disse o pássaro mijado –, é... ele fez alguns filmes excelentes, filmes excelentes!

Tentei dormir. Era difícil dormir à noite, porque todos roncavam. Todos juntos. O grisalho era o que roncava mais alto. Pela manhã, ele sempre me acordava para reclamar sobre não ter dormido durante à noite. Primeiro porque não conseguia cagar. Desentupa-me, meu deus, tenho que cagar! Ou então estava com dor. Ou então era onde estava o seu médico? Ele tinha vários médicos diferentes. Quando um não podia mais suportá-lo, outro assumia tudo. Não conseguiam encontrar nada de errado com ele. Não havia nada de errado: ele queria a sua mãe, mas ela estava morta.

11.

Finalmente consegui que me transferissem para um quarto semiprivativo. Mas foi pior ainda. Seu nome era Herb e, como o enfermeiro me contou:

— Ele não está doente. Não há nada de errado com ele, realmente nada de errado, mesmo.

Tinha um roupão de seda, barbeava-se duas vezes ao dia, tinha um aparelho de televisão que ele nunca desligava e visitantes a toda a hora. Era o diretor de um negócio razoavelmente grande e usava a tática de manter o cabelo grisalho cortado bem curto para demonstrar sua juventude, eficiência, inteligência e brutalidade.

A televisão acabou se revelando muito pior do que eu imaginava. Nunca possuí uma televisão e então não estava acostumado com o custo para os nervos. As corridas de carro eram razoáveis, eu podia suportá-las, embora fossem muito entediantes. Mas havia algum tipo de maratona televisiva em prol de uma causa qualquer que estava arrecadando dinheiro. Começaram a transmitir cedo pela manhã e seguiram sem parar o dia inteiro. Pequenos números eram colocados na tela indicando quanto dinheiro já haviam arrecadado. Alguém usava um chapéu de mestre-cuca. Não sei o que raios ele queria. E havia uma velha horrenda com a cara parecida com a de um sapo. Ela era terrivelmente feia. Não dava para acreditar. Eu não podia crer que essas pessoas não soubessem o quão feias e nuas e gordas e nojentas eram suas caras: como um estupro a todo tipo de decência. E mesmo assim elas caminhavam por ali e calmamente punham suas caras na tela e falavam umas com as outras e riam por qualquer coisa. Era muito difícil rir das piadas, mas elas não pareciam ver problema nisso. Aquelas caras, aquelas caras! Herb não dizia nada a respeito disso. Apenas continuava assistindo como se estivesse interessado. Eu não sabia os nomes das pessoas, mas eram todas estrelas de algum tipo. Anunciavam um nome e então todos ficavam agitados... exceto eu. Não conseguia entender aquela coisa. Fiquei um pouco enjoado. Desejei estar novamente no outro quarto. Enquanto isso, estava tentando ter o meu primeiro movimento intestinal. Nada aconteceu. Um filete de sangue. Era sábado de noite. O padre apareceu no quarto.

— Você gostaria de comungar amanhã? — ele perguntou.

– Não, obrigado, padre, não sou um bom católico. Não vou à igreja há vinte anos.
 – Você foi batizado como católico?
 – Sim.
 – Então ainda é um católico. É apenas um católico desleixado.

Foi exatamente como nos filmes... ele fala sem papas na língua, exatamente como Cagney, ou era Pat O'Brien que ostentava o colarinho branco? Todos os meus filmes são antigos: o último filme que eu assistira tinha sido *The Lost Weekend*. Ele me deu um folheto:
 – Leia isso.
 E saiu.

LIVRO DE ORAÇÕES, dizia. *Compilado para uso em hospitais e instituições.*

Li.

Ó Santíssima Trindade, Pai, Filho e Espírito Santo, com todos os anjos e santos, eu vos adoro.

Salve, Rainha, minha Mãe, entrego-me completamente a vós; e, para vos mostrar minha devoção, a vós consagro, neste dia, meus olhos, meus ouvidos, minha boca, meu coração, todo o meu ser, sem reservas.

Agonizante Coração de Jesus, tende piedade dos moribundos.

Ó meu Deus, prostrado diante do Senhor, eu vos adoro...

Venhais a mim, Espíritos abençoados, no agradecimento a Deus Todo-Misericordioso, que é tão generoso com uma criatura tão indigna.

Foram os meus pecados, caro Jesus, que causaram vossa amarga agonia... meus pecados que vos açoitaram e vos coroaram com espinhos e vos pregaram na cruz. Confesso que mereço apenas punição.

Levantei e tentei cagar. Fazia três dias que eu estava trancado. Nada. Apenas um filete de sangue outra vez e cortes sendo rasgados no meu reto. Herb estava vendo um programa de comédia.
– Batman virá ao programa essa noite. Quero ver o Batman!
– É mesmo? – e rastejei de volta para a cama.

Estou profundamente arrependido de meus pecados de impaciência e fúria, meus pecados de abatimento e revolta.

O Batman apareceu. Todo mundo no programa parecia feliz com isso.
– É o Batman! – disse Herb.
– Muito bem – eu disse –, é o Batman.

Sagrado Coração de Maria, sede meu salvador.

– Ele sabe cantar! Olhe, ele sabe cantar!
O Batman tinha tirado sua bat-roupa e vestia sua roupa civil. Era um jovem com uma aparência muito ordinária com algo de vazio na cara. Ele cantou. A música continuava e continuava e não acabava, e Batman parecia muito orgulhoso de sua cantoria, por alguma razão pouco óbvia.
– Ele sabe cantar! – disse Herb.

Meu bom Deus, quem sou eu e quem sois Vós, como posso ousar vos confrontar?

Sou apenas uma criatura pobre, miserável, pecadora, totalmente indigna perante vossos olhos.

Virei as costas para o aparelho de televisão e tentei dormir. Herb tinha deixado o som muito alto. Eu tinha um pouco de algodão que enfiei em meus ouvidos, mas isso não ajudava muito. Nunca vou cagar, pensei, nunca mais vou cagar, não com essa porcaria ligada. A televisão deixou meu intestino preso, preso... Com certeza vou enlouquecer dessa vez!

Ó Senhor, meu Deus, deste dia em diante, aceitarei, de vossa mão, voluntariamente e com submissão, o tipo de morte que quiserdes me enviar, com todos os pesares, dores e agonias. (Penitência completa, uma vez ao dia, sob condições normais.)

Finalmente, à uma e meia da madrugada, não pude mais aguentar. Estava ouvindo o aparelho desde as sete da manhã. Minha merda estava trancada para a Eternidade. Senti que tinha pagado todos os meus pecados naquelas dezoito horas e meia. Dei um jeito de me virar.

– Herb! Pelo amor de Deus, homem! Estou quase tendo um troço! Vou enlouquecer! Herb! PIEDADE! NÃO SUPORTO MAIS A TELEVISÃO! NÃO SUPORTO A RAÇA HUMANA! Herb! Herb!

Ele estava dormindo sentado.

– Seu lambedor de buceta imundo! – eu disse.

– Quê? Quê?

– POR QUE VOCÊ NÃO DESLIGA ESSA MERDA?

– Des... desligar? Ah, claro, claro... por que não falou antes, garoto?

12.

Herb também roncava. E falava enquanto dormia. Consegui pegar no sono lá pelas três e meia da manhã. Às quatro e quinze, fui acordado por um barulho que parecia o de uma mesa sendo arrastada pelo corredor. Subitamente as luzes se acenderam, e uma negrona estava em pé, perto de mim, com uma prancheta. Porra, ela era uma puta feia e com jeito de estúpida, e que se foda Martin Luther King e a sua igualdade racial! Ela poderia tranquilamente acabar com a minha raça. Talvez fosse uma boa ideia. Talvez fossem os Ritos Finais. Será que eu estava acabado?

– Olhe, querida – eu disse –, você pode me dizer o que está acontecendo? É a porra do fim de tudo?

– Você é Henry Chinaski?

– Receio que sim.

– Seu nome está anotado para receber a comunhão.

– Não, espere! Ele entendeu mal o que eu disse. Eu disse: *sem comunhão.*

– Ah – ela disse.

Puxou a cortina de volta e apagou as luzes. Podia ouvir a mesa ou seja lá o que fosse sendo arrastada novamente pelo corredor. O papai ficaria muito insatisfeito comigo. A mesa fazia um barulho infernal. Eu podia ouvir os doentes e os moribundos acordando, tossindo, fazendo perguntas ao ar, chamando pelas enfermeiras.

– O que foi isso, garoto? – Herb perguntou.

– O que foi o quê?

– Todo esse barulho e as luzes?

– Ah, esse era o feroz Anjo Negro do Batman preparando o Corpo de Cristo.

– Quê?

– Vá dormir.

13.

Meu médico veio me ver na manhã seguinte e espiou o meu cu e me disse que eu podia ir pra casa.

– Mas, minha garoto, não vá andarr a cabalo, sim?

– Ya. Mas que tal uma bucetinha quente?

– Quê?

– Relações sexuais.

— Oh, *nein, nein*! Ainda vai levar de seis a oito semanas para você voltar a *qualquer* atividade normal.

Ele saiu, e eu comecei a me vestir. A televisão não me incomodava. Alguém na tela disse:

— Será que meu espaguete está pronto?

Enfiou a cara em uma panela e então olhou para cima e todo o espaguete estava grudado em seu rosto. Herb riu. Apertei a mão dele.

— Até mais, camarada – eu disse.

— Foi bom – ele disse.

— É mesmo – eu disse.

Estava pronto para partir quando aconteceu. Corri para a privada. Sangue e merda. Merda e sangue. Foi doloroso o suficiente para me fazer gritar para as paredes.

— Aiii, mãezinha, seus putos sujos de merda, ai, merda, merda, suas aberrações monstruosas e enlouquecedoras, ah, seus fodidos de merda, filhos da puta, saiam daí! Merda, merda, merda, AI!

Finalmente acabou. Limpei minha bunda, coloquei uma bandagem de gaze, puxei minhas calças para cima e caminhei até minha cama, peguei minha mala de viagem.

— Até logo, Herb, meu chapa.

— Até logo, garoto.

Isso mesmo. Você adivinhou. Corri para o banheiro mais uma vez.

— Seus cretinos imundos! Filhos da puta! Ahhhhh, merdamerdamerdaMERDA!

Saí e fiquei sentado um pouco. Aconteceu um movimento menor e então senti que estava pronto. Desci as escadas e assinei rios de dinheiro em contas para pagar. Não conseguia ler nada. Chamaram um táxi para mim, e fiquei esperando do lado de fora, junto à entrada das ambulâncias. Levava comigo uma espécie de penico. Uma bacia em que se caga dentro depois de enchê-la com água quente. Havia três caipiras parados ali fora, dois homens e uma mulher. Suas vozes eram altas e carregadas pelo sotaque sulista.

Por seus aspectos, tinha-se a impressão de que nada jamais lhes acontecera... nem mesmo uma dor de dente. Meu cu começou a latejar e a doer. Tentei me sentar, mas isso foi um erro. Havia um garotinho com eles. Ele veio correndo e tentou pegar minha bacia. Deu um puxão.

– Não, seu merda, não – ralhei com ele.

Ele quase conseguiu. Ele era mais forte do que eu, mas continuei segurando firme.

Ó Jesus, eu vos confio meus pais, parentes, benfeitores, professores e amigos. Recompensai-os de uma forma muito especial por toda a aflição e pesar que eu lhes causei.

– Seu pentelho! Larga meu pote de merda! – eu lhe disse.

– Donny! Deixe o homem em paz! – a mulher gritou para ele.

Donny saiu correndo. Um dos homens olhou para mim.

– Oi – ele disse.

– Oi – eu respondi.

Ali estava o táxi. Parecia bom.

– Chinaski?

– Sim... Vamos lá.

Entrei e sentei no banco da frente com meu pote de cagar. Meio que tive de sentar em uma nádega só. Dei-lhe instruções sobre como chegar à minha casa.

– Escuta, se eu gritar, pare atrás de um anúncio, um posto de gasolina, qualquer coisa. Mas pare o carro. Talvez eu precise cagar.

– Ok.

Seguimos em frente. As ruas pareciam boas. Era meio-dia. Eu ainda estava vivo.

– Escute – perguntei –, onde tem um bom puteiro? Onde posso pegar um bom rabo limpo e barato?

– Não sei nada disso.

— Ah não! Não me venha com essa! — gritei para ele. — Tenho cara de tira? Tenho cara de dedo-duro? Pode se abrir comigo, campeão!

— Não, não estou brincando. Não sei nada disso mesmo. Trabalho de dia. Talvez um taxista da noite possa arranjar algo para você.

— Está bem. Acredito em você. Vire aqui.

A velha cabana parecia bem situada lá entre todos aqueles prédios altos de apartamentos. Meu Plymouth ano 57 estava coberto de merda de passarinhos, e os pneus estavam meio murchos. Tudo o que eu queria era um banho quente. Um banho quente. Água quente no meu pobre cuzinho. Quietude. Os velhos programas das corridas. As contas de gás e luz. As cartas de mulheres solitárias que moram longe demais para que eu as coma. Água. Água quente. Quietude. E eu me espalhando pelas paredes, retornando ao bueiro da minha alma amaldiçoada por Deus. Dei ao taxista uma boa gorjeta e lentamente caminhei pela passagem do carro. A porta estava aberta. Escancarada. Alguém estava martelando em algo. Os lençóis estavam fora da cama. Meu Deus, minha casa fora invadida! Eu tinha sido despejado!

Entrei.

— EI! — gritei.

O senhorio veio até a sala da frente.

— Nossa! Não esperávamos que você voltasse tão cedo! O reservatório de água quente estava vazando, e tivemos que arrancá-lo. Vamos colocar um novo.

— Quer dizer que não tem água quente?

— Não, não tem água quente.

Ó Bom Jesus, aceito espontaneamente essa provação que depositais sobre meus ombros.

A esposa dele entrou.

— Ah, estava prestes a arrumar sua cama.

— Tudo bem. Ótimo.

– Ele deve acabar de instalar o reservatório ainda hoje. Talvez faltem algumas peças. É difícil arranjar peças aos domingos.

– Ok, vou arrumar a cama – eu disse.

– Eu arrumo para você.

– Não, por favor, eu arrumo.

Fui até o quarto e comecei a arrumar a cama. Então a coisa veio. Corri para o banheiro. Podia ouvi-lo martelando o reservatório quando sentei. Fiquei contente que ele estivesse martelando. Fiz um discurso silencioso. Então fui para a cama. Ouvi o casal no pátio ao lado. Ele estava bêbado. Estavam discutindo.

– O seu problema é que você não tem nenhuma noção das coisas! Não sabe de nada! É uma estúpida! E ainda por cima é uma puta!

Eu estava novamente em casa. Era ótimo. Recurvei-me sobre minha barriga. No Vietnã, os exércitos estavam lutando. Nos becos, os vagabundos mamavam em garrafas de vinho. Vi uma aranha escalando o peitoril da janela. Vi um jornal velho no chão. Havia uma foto de três garotas pulando uma cerca e mostrando muito das pernas. O lugar todo se parecia comigo e tinha meu cheiro. O papel de parede me conhecia. Era perfeito. Estava consciente de meus pés e meus cotovelos e meus cabelos. Não me sentia como se tivesse 45 anos de idade. Sentia-me como um maldito monge que recém houvesse recebido uma revelação. Sentia-me como se estivesse apaixonado por algo que fosse muito bom, mas não sabia exatamente o quê, exceto que estava ali, bem perto. Escutei todos os sons, os ruídos das motocicletas e dos carros. Ouvi os cães latindo. Pessoas rindo. Então dormi. Dormi e dormi e dormi. Enquanto uma planta olhava através da minha janela, enquanto velava meu sono. O sol seguia sua labuta e a aranha ficou a rastejar por ali.

Confissões de um homem suficientemente insano para viver com as feras

1.

Lembro de tocar uma punheta no armário, certa vez, depois de colocar os sapatos de salto da minha mãe e olhar as minhas pernas no espelho, lentamente puxando um pano, fazendo-o subir pelas minhas pernas, cada vez mais alto, como se estivesse olhando as pernas de uma mulher, e de ser interrompido por dois amigos que vieram até a minha casa...

– Sei que ele está em algum lugar por aqui.

Eu tentava me recompor quando um deles abriu a porta do armário e me encontrou.

– Seus filhos da puta!

Gritei e cacei os dois até que fossem para fora da casa e os ouvi falando enquanto se afastavam:

– O que tem de errado com ele? Que diabos há de errado com ele?

2.

K. tinha sido uma *showgirl* e costumava me mostrar os recortes de jornais e as fotos. Ela quase ganhou um concurso de Miss América. Conheci-a em um bar na Alvarado Street, que é o mais perto que se pode chegar da parte realmente suja da cidade. Ela havia ganhado um pouco de peso e envelhecido, mas ainda guardava alguns resquícios de beleza, alguma classe, mas só uma sombra do que fora. Nós dois tínhamos vivido uns bons bocados. Nenhum de nós trabalhava, e como fazíamos para sobreviver, nunca saberei. Cigarros, vinho e a senhoria que acreditava em nossas histórias sobre o dinheiro que receberíamos em breve, apesar de estarmos pelados naquele momento. O mais importante era termos vinho.

Dormíamos a maior parte do dia, mas, quando começava a escurecer, tínhamos de levantar, sentíamos vontade de levantar:

K: Merda, uma bebidinha cairia bem.

Eu ainda estaria na cama fumando o último cigarro.

Eu: Bem, então vá até o mercado do Tony e nos traga algo.

K: Garrafas grandes?

Eu: Claro, grandes. E nada de Gallo. E nada daquele outro, aquele negócio me deixou com dor de cabeça por duas semanas. E traga dois maços de cigarros. Qualquer marca.

K: Mas aqui só tem cinquenta centavos!

Eu: *Eu* sei disso! Faça ele vender o resto fiado; qual o problema, você é burra?

K: Ele diz que não dá mais...

Eu: *Ele diz, ele diz...* quem é esse sujeito? Deus? Enrole ele. Sorria! Dê uma rebolada pra ele! Deixe-o de pau duro! Leve o sujeito pra salinha dos fundos se for preciso, mas traz o vinho!

K: Tudo bem, tudo bem.

Eu: E não volte de mãos vazias!

K. disse que me amava. Ela costumava amarrar umas tirinhas ao redor do meu pau e fazer um pequeno chapeuzinho de papel para a cabeça do meu pau.

Se ela voltasse sem o vinho ou com apenas uma garrafa, então eu iria até lá como um louco e rosnaria e gritaria e ameaçaria o velho Tony até que ele me desse o que eu queria, e mais. Às vezes, eu voltava com sardinhas, pão e salgadinhos. Era uma época muito boa e quando Tony vendeu o negócio, começamos a aplicar o mesmo golpe no novo dono, que era mais difícil de convencer, mas que ainda conseguíamos dobrar. Isso fez aflorar o que havia de melhor em nós.

3.

Era como uma broca para madeira, poderia ser mesmo uma broca para madeira, eu podia sentir o fedor do óleo queimando, e eles enfiavam aquela coisa na minha cabeça e na minha carne, e a broca perfurava e saía sangue e pus e eu ficava lá sentado, vagando sobre a corda bamba, à beira de um precipício. Eu estava coberto de espinhas monstruosas do tamanho de pequenas maçãs. Era ridículo e inacreditável.

– O pior caso que já vi – disse um dos médicos, e olha que ele era velho.

Eles se reuniam ao redor de mim como se eu fosse uma aberração. Eu era uma aberração. Ainda sou uma aberração. Andava de bonde, indo e vindo da ala de caridade do hospital. As crianças no bonde me olhavam e perguntavam a suas mães:

– O que há de errado com aquele homem? Mãe, o que há de errado com a *cara* daquele homem?

E a mãe fazia:

– PSSSIIIIT!!!

Aquele *psit* era a pior das condenações, e depois daquilo elas deixavam que os pequenos cretinos e cretininhas me encarassem por sobre os encostos de seus assentos, e eu olhava pela janela e observava os prédios passando e me afogava, eu estava rastejando e me afogando, não havia nada a fazer. Os médicos, por não saberem como chamar o que eu tinha, chamavam de *Acne vulgaris*. Ficava sentado por horas em um banco de madeira enquanto esperava por minha broca de madeira. Que história triste, né? Lembro-me dos prédios velhos de tijolos, das enfermeiras calmas e descansadas, dos médicos rindo, enquanto faziam aquela coisa. Foi ali que aprendi sobre a falácia dos hospitais... que os médicos eram reis e os pacientes eram merda e os hospitais estavam lá para que os médicos pudessem desfilar toda a sua vigorosa e branca superioridade, além de poderem trepar com as enfermeiras:

– Doutor, doutor, doutor, aperta a minha bunda no elevador, esqueça o fedor do câncer, esqueça o fedor da vida.

Não somos pobres idiotas, nunca morreremos; bebemos nosso suco de cenoura e, quando nos sentimos mal, podemos tomar um remédio, uma injeção, toda a droga de que precisamos está ao nosso alcance. Pio, pio, pio, a vida cantará para nós, somos as estrelas do momento. Eu entrava e sentava, e eles enfiavam a furadeira em mim. ZIRRRR ZIRRRR ZIRRRR, ZIR, o sol, enquanto isso, cultivando dálias e laranjas e brilhando através dos vestidos das enfermeiras, enlouquecendo ainda mais as pobres aberrações. Zirrrrrr, zirrrr, zirr.

– Nunca vi *ninguém* suportar a broca desse jeito!
– Olhem para ele, frio como aço!

Mais uma vez uma reunião de comedores de enfermeiras, uma reunião de homens que tinham casas grandes e tempo para rir e ler e ir ao teatro e comprar pinturas e esquecer como pensar, esquecer como sentir qualquer coisa. Jalecos engomados e a minha derrota. A reunião.

– Como você se sente?
– Maravilhoso.
– Não acha que a agulha machuca um pouco?
– Vá se foder.
– Como?
– Mandei você se foder.
– É apenas um garoto. Um garoto amargo. Não podemos culpá-lo. Quantos anos você tem?
– Catorze.
– Estava apenas elogiando a sua coragem, a forma como suportou a agulha. Você é durão.
– Vá se foder.
– Não pode falar assim comigo.
– Foda-se. Foda-se. Foda-se.
– Você devia se manter mais positivo. Imagina se você fosse cego?
– Então não precisaria olhar para sua cara estúpida.
– O garoto é louco.
– Claro que ele é, deixem-no em paz.

Esse era um hospital qualquer, e não imaginei que voltaria lá vinte anos mais tarde, novamente para a ala de caridade. Hospitais e prisões e prostíbulos: eis as universidades da vida. Eu já recebera vários títulos dessas instituições. Exigia ser tratado por senhor.

4.

Estava acomodado com outra pessoa. Estávamos no segundo andar de uma cabana e eu estava trabalhando. Foi isso que quase me matou, beber toda a noite e trabalhar o dia inteiro. Continuava jogando a garrafa pela mesma janela. Costumava levar aquela janela até uma vidraçaria na esquina e eles a arrumavam para mim, colocavam um novo vidro na janela. Fazia isso uma vez por semana. O homem olhava para mim estranhamente todas as vezes, mas sempre aceitava meu dinheiro, que parecia normal para ele. Eu andava bebendo muito, continuamente há quinze anos, e, certa manhã, acordei e lá estava: o sangue escorrendo pela minha boca e pelo meu cu. Cagalhões pretos. Sangue, sangue, cachoeiras de sangue. Sangue fede mais que merda. Ela chamou um médico e a ambulância veio me buscar. Os paramédicos disseram que eu era grande demais para ser carregado pelas escadas e me pediram para caminhar.

– Tudo bem, caras – eu disse.

– Ficamos agradecidos... não queremos que faça muita força.

Lá fora subi na maca. Eles a abriram para mim, e me estendi ali em cima como uma flor a fenecer. Uma flor infernal. Os vizinhos estavam com as cabeças para fora das janelas, ficavam nos degraus da escada enquanto eu passava. Viam-me bêbado na maior parte das vezes.

– Olhe, Mabel – disse um deles –, lá se vai aquele homem terrível!

– Deus tenha piedade de sua alma! – era a resposta.

Boa e velha Mabel. Escapou-me boca afora uma golfada de sangue que atingiu a ponta da maca, e alguém pronunciou:

– OOOOOhhhhhh.

Embora eu estivesse trabalhando, não tinha nenhum dinheiro, então fui levado novamente para a ala de caridade. A ambulância estava cheia. Tinham compartimentos na ambulância e todos estavam tomados por outras pessoas.

– Casa cheia – disse o motorista. – Vamos lá.

Foi uma viagem péssima. Balançamos e sacudimos. Fiz todo o esforço que podia para não botar mais sangue para fora, porque não queria deixar ninguém fedendo.

– Oh – ouvi a voz de uma negra –, não posso acreditar que isso esteja acontecendo comigo, não posso acreditar, oh, Deus, me ajude!

Deus é muito popular em lugares como esse.

Colocaram-me em um porão escuro e alguém me deu alguma coisa para tomar em um copo com água e isso foi tudo. De vez em quando eu vomitava um pouco de sangue no pote que ficava perto da cama. Havia quatro ou cinco de nós ali. Um dos homens estava bêbado... e insano... mas parecia forte. Ele saiu de seu catre e vagueou pelos arredores, andou aos tropeços, caindo por cima de outros homens, derrubando as coisas no chão:

– Eu era, era, eu, eu sou o juba, o joba, jujoba, eu era, uepa, juba.

Peguei o jarro de água para bater nele, mas ele não se aproximou o suficiente. Finalmente caiu em um canto e desmaiou. Fiquei em um porão a noite inteira e até o meio-dia do dia seguinte. Então me levaram para o andar de cima. A ala estava superlotada. Fui colocado em um canto escuro.

– Oh, ele vai morrer naquele canto – disse uma das enfermeiras.

– É... – disse a outra.

Levantei, numa noite, e não consegui chegar até o banheiro. Deixei sangue sobre toda a parte central do piso. Caí e estava muito fraco para me levantar. Chamei por uma enfermeira, mas as portas que davam acesso para aquela ala eram cobertas de estanho de três a seis polegadas de espessura e ninguém poderia me ouvir. Uma enfermeira vinha fazer uma ronda uma vez a cada duas horas, procurando por mortos. Levavam muitos mortos embora durante a noite. Eu não conseguia dormir e costumava ficar observando a retirada. Puxavam um sujeito de um catre para a maca e puxavam um lençol por sobre a cabeça dele. Aquelas macas estavam sempre muito bem lubrificadas. As rodinhas não faziam nenhum barulho. Gritei:

– Enfermeira! – sem saber exatamente por quê.

– Cale a boca! – um dos velhos me disse. – Queremos dormir!

Desmaiei.

Quando retomei a consciência, todas as luzes estavam acesas. Duas enfermeiras estavam tentando me erguer.

– Disse para você não sair da cama – falou uma delas.

Eu não conseguia falar. Tambores rufavam em minha cabeça. Senti que estava me esvaziando. Parecia que conseguia ouvir tudo, mas não conseguia ver, apenas clarões de luz, era o que parecia. Mas nada de pânico nem medo, apenas uma sensação de estar esperando, aguardando por algo sem me importar.

– Você é muito grande – disse uma delas –, suba nesta cadeira.

Colocaram-me em uma cadeira de rodas e me empurraram pelo corredor. Sentia-me como se não pesasse mais de três quilos.

Então estavam ao meu redor: pessoas. Lembro de um médico vestindo um avental verde, um avental de operação. Parecia estar furioso. Estava falando com a enfermeira-chefe.

– Por que esse homem não recebeu uma transfusão? Ele está quase sem nada.

– Seus papéis passaram pelo andar inferior enquanto eu estava no andar de cima e foram preenchidos antes que eu os visse. E, além disso, doutor, ele não tem nenhum crédito sanguíneo.

– Quero um pouco de sangue aqui em cima e quero AGORA!

"Quem raios será esse sujeito", pensei, "muito estranho. Muito incomum para um médico."

Começaram as transfusões... nove bolsas de sangue e oito de glicose.

Uma enfermeira tentou me alimentar com rosbife e batatas e ervilhas e cenouras na minha primeira refeição. Ela colocou a bandeja na minha frente.

– Raios, não posso comer isso – eu lhe disse. – Esse negócio vai me matar!

– Coma – ela disse –, está na sua lista, é a sua dieta.

– Traga-me um pouco de leite – eu disse.

– Coma isso – ela disse e se afastou.

Deixei a comida onde estava.

Cinco minutos depois, ela voltou correndo pela ala.

– Não COMA ISSO! – ela gritou. – Você não pode comer isso!!! Houve um erro na lista!

Ela levou tudo embora e voltou com um copo de leite.

Assim que a primeira bolsa de sangue esvaziou-se dentro de mim, colocaram-me em uma maca com rodas e me levaram para a sala de raio X. O doutor me mandou ficar em pé. Eu não conseguia, acabava sempre caindo de costas.

– Porra do caralho! – ele gritou. – Você me fez desperdiçar outro filme! Agora fique em pé e não caia!

Tentei, mas não consegui ficar em pé. Caí de costas.

– Oh, merda – ele disse para a enfermeira –, leve-o daqui.

Domingo de Páscoa, a banda do Exército da Salvação tocou bem embaixo da nossa janela às cinco horas da madrugada. Tocaram músicas religiosas horrorosas, tocaram mal e muito alto, e isso era para mim como mergulhar em um pântano, sentia a música correr pelo meu corpo, quase me matou. Senti-me tão perto da morte naquela manhã como jamais tinha me sentido antes. Estava a um centímetro de distância, um fio de cabelo de distância. Finalmente foram embora para outra parte do pátio e comecei a voltar à vida. Diria que, naquela manhã, eles mataram provavelmente meia dúzia de prisioneiros com aquela sua música.

Então meu pai apareceu com a minha puta. Ela estava bêbada, e eu sabia que ele tinha dado dinheiro a ela para beber e que também a havia trazido, deliberadamente, para que eu a visse bêbada. Fez isso para me entristecer. O velho e eu éramos inimigos de longa data... ele acreditava em tudo aquilo que eu não acreditava e vice-versa. Ela cambaleava em frente à minha cama, embriagada, o rosto rubicundo.

– Por que você a trouxe aqui nesse estado? – perguntei. – Por que não esperou até outro dia?

– Disse que ela não prestava! Sempre disse que ela não prestava!

– Você a embebedou e então a trouxe aqui. Por que você continua fazendo isso comigo?

– Eu disse que ela não prestava, eu avisei, eu *avisei*!

– Seu filho da puta, se você disser mais uma palavra, vou tirar essa agulha do meu braço e cagá-lo a pau!

Ele a tomou pelo braço e os dois partiram.

Acho que telefonaram para eles dizendo que eu ia morrer. A hemorragia continuava. Naquela noite, um padre veio me visitar.

– Padre – eu disse –, sem ofensas, mas, por favor, gostaria de morrer sem nenhum rito, sem nenhuma palavra.

Fiquei surpreso, então, porque ele balançou e se inclinou para trás sem acreditar no que tinha ouvido, foi quase como se eu tivesse batido nele. Digo que fiquei surpreso, porque imaginava que esses rapazes levassem as coisas de maneira mais tranquila. Mas, enfim, eles também tinham que limpar os próprios rabos.

– Padre, fale comigo – disse um velho –, você pode falar comigo.

O padre foi até ele e o velho e todos os demais ficaram felizes.

Treze dias depois da noite em que fui internado, estava dirigindo um caminhão e carregando sacos de 25 quilos. Uma semana mais tarde, bebi meu primeiro copo de cerveja... o copo que diziam iria me matar.

Acho que algum dia vou morrer em uma ala de caridade de merda. Parece que simplesmente não consigo me livrar disso.

5.

Mais uma vez, eu estava sem sorte e, dessa vez, estava muito nervoso por causa do excesso de bebedeiras de vinho; os olhos injetados, fraco; muito deprimido para encontrar meu emprego tapa-buraco, meu emprego de despachante ou repositor de estoque, então fui até a fábrica de empacotar carne e entrei no escritório.

– Já não nos encontramos antes? – o homem perguntou.

– Não – menti.

Tinha ido lá dois ou três anos antes, preenchi toda a papelada, fiz os exames médicos e assim por diante, e eles me levaram para os andares inferiores, no quarto subsolo, e ficava cada vez mais frio, e o piso estava coberto com um reflexo de sangue, o chão era verde, as paredes eram verdes. Ele me explicou a tarefa, que consistia em apertar um botão e então, de um buraco na parede, de onde vinha um barulho semelhante ao choque de um zagueiro de futebol americano contra outro, ou ao som de elefantes caindo, de lá saía algo morto, um monte de coisas mortas, sangrando, e ele me mostrou como eu devia pegar tudo aquilo e jogar no caminhão e apertar o botão para que outra carga saísse pela parede. Então ele se foi. Assim que ele saiu, tirei meu avental, meu capacete de aço, minhas botas (que eram três números menores do que eu calçava) e tomei a escada e fui embora de lá. Agora eu estava de volta.

– Você parece estar um pouco velho para esse tipo de trabalho.

– Quero voltar à forma. Preciso de trabalho duro, trabalho bom e duro – menti.

– Você dá conta?

– Sou duro na queda. Costumava lutar, lutei com os melhores.

– É mesmo?

– Sim.

– Hum... dá para ver pela sua cara. Deve ter passado por maus bocados.

– Não dê bola para a minha cara. Eu tinha mãos rápidas. Ainda tenho. Tive que entregar algumas lutas por dinheiro e tive que fazer com que tudo parecesse real.

– Acompanho boxe. Não lembro do seu nome.

– Lutei com outro nome, Kid Stardust.

– Kid Stardust? Não lembro de nenhum Kid Stardust.

– Lutei na América do Sul, na África, na Europa, nas ilhas, nas paradas de reabastecimento de trem. É por isso que tem todos esses espaços em branco no meu currículo... Não gosto de colocar que fui boxeador, porque as pessoas pensam que estou brincando ou mentindo. Prefiro deixar em branco e aos diabos com essa burocracia.

– Tudo bem, apareça para o exame médico amanhã, às nove e meia da manhã, e vamos colocá-lo para trabalhar. Você falou que quer um trabalho duro?

– Bem, se tiver outra coisa...

– Não, não no momento. Sabe, você parece estar perto dos cinquenta anos de idade. Fico pensando se estou fazendo a coisa certa... Não gostamos que pessoas como você nos façam perder tempo.

– Não sou um qualquer... sou Kid Stardust.

– Ok, Kid – ele riu –, vamos colocá-lo para trabalhar de verdade!

Não gostei do jeito como ele disse aquilo.

Dois dias depois, passei pelo portão de entrada e entrei no barracão de madeira, onde mostrei para um homem o crachá com o meu nome, Henry Chinaski, e ele me mandou para a doca de carga... eu devia encontrar um homem chamado Thurman. Caminhei até lá. Havia uma fila de homens sentados em um banco de madeira, e eles me olharam como se eu fosse um homossexual ou um monte de lixo.

Olhei para eles com o que eu imaginava fosse um ar de desdém confiante e tentei reproduzir, da melhor maneira que pude, o tom da conversa dos becos:

– Onde está Thurman. Me mandaram falar com ele.

Alguém o apontou.

– *Thurman*?

– Sim?

– Vou trabalhar pra você.

– É?

– É.

Ele me olhou.

– Onde estão suas botas?

– Botas? Não tenho botas – eu disse.

Ele pegou um par embaixo do banco e o entregou para mim, um par velho, gasto e sujo. Calcei. A velha história de sempre: três números menor do que o meu tamanho. Meus dedos estavam esmagados e dobrados.

Então ele me deu um avental ensanguentado e um capacete de aço. Vesti-os. E fiquei ali parado, enquanto ele acendia um cigarro, ou, como diriam os ingleses, enquanto ele *acendia* seu cigarro*. Jogou o palito de fósforo com um floreio calmo e másculo.

– Venha.

Eram todos negros e, quando entrei, todos me olharam como se fossem os Muçulmanos Negros. Eu tinha mais de um metro e oitenta de altura, mas eles eram todos mais altos do que eu e, se não eram mais altos, eram duas ou três vezes mais largos.

---

* Jogo de palavras que não pode ser traduzido para o português. O verbo acender, *light* em inglês, assume duas formas diferentes de passado: *lit* para os americanos e *lighted* para os britânicos. São as formas que aparecem, respectivamente, no original. (N.T.)

– Hank! – Thurman gritou.

"Hank", pensei. Hank, assim como eu. Isso era legal. Já estava suando sob o capacete de aço.

– Ponha-o para TRABALHAR!

Jesus Cristo, ó Jesus Cristo. O que raios aconteceu às noites doces e tranquilas? Por que isso não acontece com Walter Winchell*, que acredita no sonho americano? Eu não era um dos mais brilhantes alunos de antropologia? O que aconteceu?

Hank me levou para frente de um caminhão vazio de meio quarteirão de comprimento que estava estacionado na doca.

– Espere aqui.

Então vários dos Muçulmanos Negros vieram correndo com as carriolas mal pintadas de branco e cheias de protuberâncias embaixo da tinta. Parecia cal misturada com merda de galinha. E cada carriola estava carregada com montes de presunto que boiavam em um sangue fino e aguado. Não, não flutuavam em sangue, estavam parados no sangue, como bolas de canhão, como a morte.

Um dos garotos pulou no caminhão atrás de mim e o outro começou a atirar os presuntos em mim e eu os pegava e os atirava para o sujeito atrás de mim que se virava e atirava os presuntos na caçamba do caminhão. Os presuntos vinham RÁPIDO e ficavam cada vez mais pesados. Tão logo eu atirava um presunto e me virava, outro já estava viajando pelo ar em minha direção. Sabia que tentavam me fazer desistir. Logo eu estava suando e suando, como se torneiras tivessem sido abertas sobre mim, e minhas costas doíam, meus pulsos doíam, meus braços doíam, tudo doía, e eu estava usando um último, impossível e débil resquício de energia. Eu mal conseguia ver, mal podia reunir forças para pegar mais um presunto e jogá-lo para trás, e depois outro e mais uma vez o mesmo movimento. Estava coberto de sangue e continuava pegando aquela carne pesada, morta e macia em minhas

---

* Espécie de *entertainer* dos primórdios da TV americana. (N.T.)

mãos, o presunto cedendo um pouco como a bunda de uma mulher, e eu estava muito fraco para falar e dizer:

– Ei, o que há de errado com vocês, caras?

Os presuntos vinham e eu estava girando, pregado como um homem em uma cruz sob um capacete de aço, e eles continuavam trazendo carriolas cheias de presuntos, presuntos, presuntos e finalmente estavam todas vazias, e fiquei ali em pé balançando e respirando sob aquela luz elétrica e amarela. Era noite no inferno. Bem, sempre gostei do trabalho noturno.

– *Vamos lá*!

Levaram-me para outra sala. Suspenso no ar, por uma grande entrada, bem no alto da parede, estava meio boi, ou talvez um boi inteiro, sim, eram bois inteiros, agora que pensei melhor, todas as quatro patas, e um deles saía do buraco pendurado em um gancho, tinha sido morto há pouco, e o boi parava bem em cima de mim, pendurado bem em cima de mim naquele gancho.

"Acabaram de matá-lo", pensei, "mataram a porcaria do boi. Como conseguem diferenciar um boi de um homem? Como sabem que não sou um boi?"

– TUDO BEM... BALANCE A CARCAÇA!

– Balançar?

– Sim... DANCE COM ELA!

– Quê?

– Oh, pelo amor de Deus! *George* venha aqui!

George foi para baixo do boi morto. Ele pegou o boi. UM. Correu para frente. DOIS. Correu de volta. TRÊS. Correu ainda mais para frente. O boi estava quase paralelo ao chão. Alguém apertou um botão e ele ficou segurando o boi. Ele segurou o boi em prol dos mercados de carne do mundo. Em prol das donas de casa estúpidas, bem-descansadas, mal-humoradas e fofoqueiras deste mundo que, às duas da tarde, vestindo seus roupões, tragando seus cigarros manchados de vermelho, quase não sentiam nada.

Colocaram-me embaixo do próximo boi.

UM.
DOIS.
TRÊS.

Peguei. Os ossos mortos contra meus ossos vivos, aquela carne morta pesando sobre minha carne viva, e os ossos e o peso me cansavam, pensei em uma buceta sensual sentada à minha frente em um sofá, com suas pernas para cima e eu com uma bebida na mão, lenta e seguramente galgando o meu caminho, invadindo, pela fala, o caminho para o vazio mental de seu corpo, e então Hank gritou:

– PENDURE ESSA COISA NO CAMINHÃO!

Corri para o caminhão. A vergonha da derrota, aprendida nos pátios das escolas americanas quando garoto, alertava-me para não deixar cair o boi no chão, porque isso provaria que eu era um covarde e não um homem e que, por isso, eu não merecia nada além de desprezo e risos, tinha-se de ser um vencedor na América, não havia saída, era preciso aprender a lutar por coisa nenhuma, não fazer perguntas, e, além disso, se eu deixasse cair o boi, talvez não pudesse mais levantá-lo, eu sabia que jamais conseguiria erguer um peso daqueles do chão. Além disso, eu me sujaria. Não queria me sujar, ou melhor... eles não queriam que o boi se sujasse.

Corri para dentro do caminhão.

– Pendure aí!

O gancho que pendia do teto era cego como um dedão humano sem unha. O jeito era deixar a parte de baixo do boi escorregar para trás e tentar a parte de cima. Tentava-se espetar a parte de cima contra o gancho vez após vez, mas o gancho não perfurava a carne. *Porra!* Era tudo cartilagem e gordura, muito duro, muito duro.

– VAMOS! VAMOS!

Usei minha última reserva de energia, e o gancho perfurou a carne, era uma cena bonita, um milagre, aquele gancho saindo pelo outro lado, aquele boi pendurado lá sozinho, meu ombro completamente livre. Pendurado para deleite das donas de casa com seus roupões e suas fofocas de açougue.

– VAMOS LÁ!

Um negro de 130 quilos, insolente, sarcástico, cheio de pose, assassino, entrou no caminhão e pendurou seu boi de uma só vez, olhou para mim com desdém:

– Nós ficamos em fila aqui!

– Ok, campeão.

Saí na frente dele. Outro boi estava esperando por mim. Cada vez que eu carregava um, tinha certeza de que seria o último que eu conseguiria carregar, mas eu continuava dizendo:

– Mais um...

só mais um...

depois eu...

me demito. Foda-se.

Estavam esperando que eu me demitisse, dava para ver em seus olhos, os sorrisos, quando pensavam que eu não estava olhando. Não queria dar-lhes o gosto da vitória. Fui buscar outra carcaça. Um jogador. Mais um ataque do grande e derrotado jogador. Fui buscar a carne.

Continuei naquilo por duas horas, e então alguém gritou:

– INTERVALO!

Consegui. Um descanso de dez minutos, um pouco de café e nunca conseguiriam fazer com que eu me demitisse. Segui-os em direção ao carro de refeições. Já podia ver o vapor subindo do café em direção à noite; podia ver as rosquinhas e os cigarros e os bolos e os sanduíches sob as luzes elétricas.

– EI, VOCÊ!

Era Hank. Hank, meu xará.

– E aí, Hank?

– Antes de fazer seu intervalo, entre naquele caminhão e leve-o para o boxe dezoito.

Era o caminhão que tínhamos acabado de carregar, aquele de meio quarteirão de comprimento. O boxe dezoito era do outro lado do pátio.

Dei um jeito de abrir a porta e entrar na cabine. Tinha um assento de couro macio e o assento era tão bom que eu sabia que se não resistisse, logo adormeceria. Não era um motorista de caminhão. Olhei para baixo e vi meia dúzia de alavancas de câmbio, freios, pedais e assim por diante. Virei a chave e dei um jeito de ligar o motor. Brinquei com os pedais e as palancas de mudança até que o caminhão começou a andar e então eu o dirigi através do pátio para o boxe dezoito, pensando durante todo o tempo: "Quando eu voltar, o carro de refeições já terá ido embora".

Isso era uma tragédia para mim, realmente uma tragédia. Estacionei o caminhão, desliguei o motor e fiquei ali sentado por um minuto, sentido a maciez daquele assento de couro. Então abri a porta e saí. Errei o degrau ou o que quer que devesse estar ali e caí no chão com o meu avental ensanguentado e meu capacete de aço, como uma bala humana. Não doeu, não senti nada. Levantei a tempo de ver o carro de refeições indo embora pelo portão e descendo a rua. Vi todos caminhando de volta para dentro da doca rindo e acendendo seus cigarros.

Tirei minhas botas, tirei meu avental, tirei meu capacete de aço e caminhei para o barracão no pátio de entrada. Atirei meu avental, o capacete e as botas por cima do balcão. O velho olhou para mim:

– *O quê? Vai se demitir desse BOM emprego?*

– Diga-lhes para me mandarem um cheque pelo correio pelas duas horas de trabalho ou diga-lhes para enfiar o cheque no cu, não me importo!

Saí. Atravessei a rua e entrei em um bar mexicano e bebi uma cerveja e então entrei em um ônibus e voltei para a minha casa. O pátio das escolas americanas haviam me vencido novamente.

6.

Na noite seguinte, eu estava sentado em um bar entre uma mulher com uma faixa na cabeça e outra sem uma faixa na cabeça, e era apenas mais um outro bar: sem graça, imperfeito, irremediável, cruel, pobre, um bar de merda, e o pequeno banheiro masculino fedia a ponto de fazer a gente arfar, e não dava para cagar ali, apenas mijar, vomitar, virando a cabeça na outra direção, procurando por luz, rezando para que o estômago resistisse apenas mais uma noite.

Estava lá havia mais ou menos três horas bebendo e pagando bebidas para a mulher que não tinha um pano na cabeça. Ela não era feia: sapatos caros, boas pernas e um bom rabo; ambos prestes a desmoronar, mas era então que pareciam mais sensuais para mim.

Paguei-lhe outro copo, mais dois copos.

– É isso aí – eu disse a ela –, estou falido.

– *Não está falando sério.*

– Estou.

– Tem onde ficar?

– Mais dois dias de aluguel.

– *Está trabalhando?*

– Não.

– O que você faz?

– Nada.

– Quero dizer, como arranjou dinheiro para viver até agora?

– Fui agente de um jóquei por um tempo. Tinha um bom garoto, mas descobriram-no fraudando a largada duas vezes, então ele foi banido. Lutei um pouco de boxe, andei pelo ramo das apostas, tentei até mesmo criar galinhas: eu costumava beber a noite inteira protegendo-as dos cachorros selvagens nas colinas, era duro, e então, um dia, deixei um cigarro aceso no galinheiro e acabei queimando metade delas e todos os meus galos bons. Tentei garimpar ouro no norte da Califórnia, fui camelô numa praia, tentei o comércio, tentei vender mercadorias que não tinha em estoque... nada deu certo, sou um fracasso.

– Acabe esse copo – ela disse – e venha comigo.

Aquele "venha comigo" soou bem. Bebi e a segui para fora do bar. Caminhamos pela rua e paramos em frente a uma loja de bebidas.

– Agora você tem de ficar quieto – ela disse. – Deixa que eu falo.

Entramos. Ela pegou um pouco de salame, ovos, pão, bacon, cerveja, mostarda picante, picles, duas garrafas de bom uísque, alguns Alka Seltzer e uma mistura para bolo. Cigarros e charutos.

– Ponha na conta de Willie Hansen – ela disse para o balconista.

Saímos com as compras, e ela chamou um táxi do ponto da esquina. O táxi parou, e entramos no banco de trás.

– Quem é Willie Hansen? – perguntei.

– Deixa para lá.

Quando chegamos à minha casa, ela me ajudou a colocar os perecíveis na geladeira. Então se sentou no sofá e cruzou aquelas boas pernas e ficou lá sentada, chutando e mexendo um tornozelo, olhando para baixo, para o próprio sapato, aquele sapato bonito e pontudo. Abri uma garrafa e fiquei ali servindo dois copos bem caprichados. Eu era o rei outra vez.

Naquela noite, na cama, parei no meio do ato e olhei para ela.

– Qual é o seu nome? – perguntei.

– Que diferença faz?

Ri e continuei mandando bala.

O aluguel venceu e coloquei todas as minhas coisas, que não eram muitas, em uma caixa de papelão, e, trinta minutos depois, contornamos um atacado de peles, passamos por uma calçada quebrada e lá estava uma casa velha de dois andares.

Pepper (esse era o nome dela, ela finalmente me dissera o seu nome) tocou a campainha e me disse:

– Fique para trás, deixe que só eu seja vista por ele, e, quando soar o dispositivo, vou empurrar a porta e você entra atrás de mim.

Willie Hansen sempre espiava pelo vão da escada um espelho que ficava no meio do caminho e que lhe mostrava quem estava à porta. Só depois disso é que ele decidia se abriria ou não.

Decidiu que ia abrir. O dispositivo soou e segui Pepper pela porta, deixando minha mala nos degraus debaixo.

– Querida! – ele encontrou-a nos degraus de cima. – É tão bom ver você!

Ele era bem velho e tinha apenas um braço. Colocou o braço ao redor dela e a beijou. Então ele me viu.

– Quem é esse sujeito?

– Ó, Willie, quero que conheça um amigo meu. Esse é o Kid.

– Olá – eu disse.

Ele não me respondeu.

– Kid? Ele não parece com um garoto*.

– Kid Lanny, ele costumava lutar com o nome de Kid Lanny.

– Kid Lancelot – eu disse.

Fomos até a cozinha e Willie tirou uma garrafa do armário e serviu alguns copos. Sentamos à mesa.

– Que você acha das cortinas? – ele me perguntou. – As garotas fizeram essas cortinas para mim. As garotas têm muito talento.

– Gosto das cortinas – eu lhe disse.

– Meu braço está ficando rígido, mal posso mover meus dedos, acho que vou morrer, os médicos não conseguem descobrir o que está errado comigo. As garotas pensam que estou brincando, elas riem de mim.

– Acredito em você – eu lhe disse.

Bebemos mais alguns copos.

– Gosto de você – disse Willie. – Parece que já andou bastante por aí, já teve suas experiências, parece ter classe. A maioria das pessoas não tem classe. Você tem classe.

– Não sei nada sobre ter classe – eu disse –, mas já andei bastante por aí e sim, tenho alguma experiência de vida.

---

* Trocadilho que se perde na tradução. No original se repete o *kid*, no sentido de criança, garoto. (N.T.)

Bebemos mais alguns copos e fomos para a sala da frente. Willie colocou um quepe de marinheiro, sentou-se diante de um órgão e começou a tocar com seu único braço. Era um órgão que fazia muito barulho.

Havia moedas de 25, dez, um e cinquenta centavos, espalhadas por todo o chão. Não fiz nenhuma pergunta. Ficamos ali sentados, bebendo e ouvindo o órgão. Aplaudi suavemente, quando ele acabou.

– Todas as garotas estavam aqui na noite passada – ele me disse –, e então alguém gritou, "POLÍCIA"! E você devia ter visto como elas correram, algumas peladas e algumas de calcinha e sutiã, todas fugiram e se esconderam na garagem. Foi muito engraçado! Fiquei aqui sentado e uma por uma elas foram voltando, esgueirando-se desde a garagem. Com certeza foi muito *divertido*!

– Quem foi que gritou "POLÍCIA"? – perguntei.

– Eu – ele disse.

Depois disso, ele foi para o seu quarto e tirou suas roupas e se deitou. Pepper entrou e o beijou e conversou com ele, enquanto eu andava juntando moedas pelo chão.

Quando ela desceu, apontou para a base da escada. Busquei a mala e a trouxe para cima.

7.

Toda vez que ele colocava aquele quepe de marinheiro, aquele quepe de capitão, pela manhã, sabíamos que iríamos para o iate. Ele ficava parado em frente ao espelho arrumando o quepe até deixá-lo no ângulo correto, e uma das garotas vinha correndo nos dizer:

– Vamos sair de iate! Willie está colocando seu quepe!

Como se fosse a primeira vez. Ele apareceu com o quepe na cabeça e o seguimos até a garagem sem dizer uma palavra.

Ele tinha um carro velho, tão velho que tinha um assento suplementar na parte de trás.

Duas ou três garotas iam na frente com Willie, sentando no colo umas das outras, sei lá como faziam para conseguir aquilo, mas conseguiam, e Pepper e eu íamos no assento suplementar, e ela dizia:

– Ele só sai quando não está de ressaca ou quando não vai beber. O problema é que quando o filho-da-mãe não bebe, não quer que ninguém mais beba também. Então, fique atento!

– Céus, preciso de uma bebida.

– Todos precisamos – ela disse.

Ela tirou uma garrafinha de sua bolsa e tirou a tampa. Alcançou a garrafinha para mim.

– É só esperar até que ele nos olhe pelo retrovisor. Então, assim que ele voltar os olhos para a estrada, beba um gole.

Tentei. Funcionou. Então foi a vez de Pepper. Quando chegamos a San Pedro, a garrafa estava vazia. Pepper tirou uma goma de mascar da bolsa, eu acendi um charuto e saímos do carro.

Era um belo iate. Tinha dois motores, e Willie ficou lá me mostrando como ligar o motor auxiliar no caso de algo dar errado. Fiquei ouvindo, concordando com a cabeça. Alguma merda sobre puxar uma corda para dar a partida no motor.

Ele me mostrou como puxar a âncora, tirar as amarras da doca, mas eu estava apenas pensando em beber mais um pouco, e então saímos, e ele ficou lá na cabine com seu quepe de capitão, pilotando a coisa toda, todas as garotas ao seu redor.

– Oh, Willie, deixe eu pilotar!

– Willie, deixe eu dirigir!

Eu não queria pilotar. Ele batizou o barco em sua própria homenagem: O WILLHAN. Um nome terrível. Devia era ter batizado de A BUCETA FLUTUANTE.

Segui Pepper até a cabine e encontramos mais coisas para beber, muitas bebidas. Ficamos lá embaixo bebendo. Ouvi-o desligar o motor e descer pela escada.

— Vamos voltar – ele disse.

— *Por quê?*

— Connie está daquele jeito outra vez. Tenho medo que ela pule do barco. Ela não quer falar comigo. Só fica lá olhando a água. Ela não sabe nadar. Tenho medo que ela pule na água.

(Connie era a garota com a faixa na cabeça.)

— Deixe-a pular. Eu a busco. Nocauteio-a, ainda tenho um bom soco, e então a trago de volta a bordo. Não se preocupe com ela.

— Não, nós vamos voltar. Além disso, vocês andaram *bebendo*!

Ele subiu as escadas. Servi mais alguns copos e acendi um charuto.

8.

Quando voltamos para a doca, Willie saiu e disse que voltaria em um instante. Ele não voltou em um instante. Ele sumiu por três dias e três noites. Deixou todas as garotas lá. Apenas entrou no carro e sumiu.

— Ele está louco – disse uma das garotas.

— É... – disse a outra.

Havia bebida e comida suficientes no barco para vários dias, então ficamos por lá, esperando por Willie. Havia quatro garotas incluindo Pepper. Fazia frio lá, não importava o quanto bebêssemos, não importava com quantos cobertores nos tapássemos, fazia muito frio. Havia apenas uma maneira de se esquentar. As garotas faziam piadas sobre o assunto...

— Sou a próxima! – uma delas gritava.

— Acho que vou gozar – outra dizia.

— Acho que VOCÊ REALMENTE vai gozar – eu disse –, e EU?

Elas riam. Por fim, eu simplesmente não conseguia mais trepar.

Descobri que estava com meus dados verdes e nos sentamos no chão e começamos a jogar. Todo mundo estava bêbado e as garotas tinham a grana toda, e eu não tinha nada, mas logo estava com uma boa quantia em dinheiro. Elas não conseguiam entender bem o jogo, e eu explicava as regras para elas enquanto jogávamos e mudava as regras durante o jogo para que melhor se encaixassem às circunstâncias.

Foi assim que Willie nos encontrou quando voltou... bêbados e jogando dados.

– NÃO PERMITO JOGATINA NESTE BARCO! – gritou do alto da escada.

Connie subiu os degraus, colocou seus braços ao redor dele e enfiou sua longa língua na boca de Willie, então apalpou seu pau. Ele desceu a escada sorrindo, serviu um copo, encheu todos os nossos copos e ficamos lá sentados, conversando e rindo, e ele nos falava sobre uma ópera que estava compondo no órgão, *O Imperador de San Francisco*. Prometi-lhe que escreveria as letras das músicas, e, naquela noite, voltamos para a cidade, bêbados e felizes. Aquela primeira viagem foi quase uma cópia exata de todas as viagens seguintes. Certa noite ele morreu, e todos nós estávamos novamente no olho da rua, as garotas e eu. Alguma irmã da Costa Leste recebeu toda a grana, e fui trabalhar em uma fábrica de biscoitos para cachorros.

9.

Estou morando em um lugar na Kingsley Street e trabalhando como despachante em uma loja de lâmpadas e suportes para iluminação de teto.

Foi uma época relativamente tranquila em minha vida. Bebia um monte de cerveja todas as noites, frequentemente esquecendo de comer. Comprei uma máquina de escrever, uma máquina Underwood de segunda mão, velha, com teclas que emperravam. Não tinha escrito nada havia dez anos. Embebedei-me com cerveja e comecei a escrever poesia. Logo juntei um monte de papéis e não sabia o que fazer com eles. Coloquei tudo em um envelope e enviei para alguma revista nova, em uma cidade pequena do Texas. Imaginei que ninguém aceitaria aquelas coisas, mas, de qualquer forma, alguém podia enlouquecer, então não seria um completo desperdício.

Recebi uma carta de resposta, recebi duas cartas de resposta, cartas longas. Diziam que eu era um gênio, diziam que eu era surpreendente, diziam que eu era Deus. Li as cartas várias vezes e me embebedei e escrevi uma longa carta de resposta. Mandei mais poemas. Escrevia poemas e cartas todas as noites, eu tinha um monte de bobagens para escrever.

A editora, que também era algum tipo de escritora, começou a me mandar fotos dela, e não era feia, não era feia mesmo. As cartas começaram a se tornar mais íntimas. Ela dizia que ninguém queria casar com ela. Seu editor-assistente, um rapazote, disse que casaria com ela por metade da herança, mas ela disse que não tinha nenhum dinheiro, as pessoas pensavam que ela tinha dinheiro. O editor-assistente mais tarde morreu em um leito na ala de caridade do hospital.

"Ninguém quer casar comigo", ela seguia escrevendo, "Seus poemas serão publicados na nossa próxima edição, uma edição totalmente dedicada a Chinaski, e ninguém nunca casará comigo, ninguém, sabe, é que tenho uma deformação, é o meu pescoço, nasci assim. Nunca vou me casar."

Certa noite, eu estava muito bêbado.

"Esqueça isso", escrevi, "eu me caso com você. Esqueça o pescoço. Também não sou muito bonito. Você com o seu pescoço e eu com a minha cara arranhada e espancada por uma pata de leão... já posso nos ver caminhando juntos pela rua!"

Enviei a coisa e esqueci completamente do assunto, bebi outra lata de cerveja e fui dormir.

O correio me trouxe uma carta de resposta:

"Oh, estou tão feliz! Todo mundo olha pra mim e diz: 'Niki, o que aconteceu com você? Você está RADIANTE, exalando alegria!!! O que aconteceu?' Não vou contar para ninguém! Oh, Henry, ESTOU TÃO FELIZ!"

Ela mandou também algumas fotos, fotos particularmente feias. Fiquei assustado. Saí e comprei uma garrafa de uísque. Olhei para as fotos, bebi o uísque. Deitei no tapete:

– Ó Senhor, ó Jesus, o que foi que eu fiz? O que fui fazer? Bem, vou contar a vocês, garotos, devotarei o resto da minha vida a fazer essa mulher feliz! Vai ser o inferno, mas sou durão, e existe maneira melhor de se sacrificar do que pela felicidade de outra pessoa?

Levantei do tapete, sem muita certeza sobre essa última parte...

Uma semana mais tarde, eu esperava na estação de ônibus, estava bêbado e esperava pela chegada de um ônibus do Texas.

Anunciaram a chegada do ônibus pelo alto-falante e me preparei para a morte. Fiquei olhando enquanto as pessoas desciam pela porta do ônibus, tentando descobrir quem era a pessoa nas fotos que eu havia recebido. E então vi uma loira jovem, 23 anos, boas pernas, andar vivo e uma cara inocente e um pouco esnobe, acho que dava para chamá-la de ousada, e o pescoço não era tão ruim. Eu estava com 35 naquela época.

Fui até ela.

– Você é a Niki?

– Sim.

– Sou Chinaski. Deixe-me pegar sua mala.

Saímos para o estacionamento.

– Estou esperando há três horas, nervoso, tremendo, passei pelo inferno durante a espera. Tudo o que eu podia fazer era beber um pouco no bar.

Ela colocou a mão no capô do carro.

– O motor ainda está quente. Seu idiota, você acabou de chegar!

Ri.

– Sim. Você acertou.

Entramos no carro velho e trepamos ali mesmo. Logo estávamos casados em Las Vegas, e isso mais as passagens de ônibus de volta para o Texas me custaram todo o dinheiro que tinha.

Entrei no ônibus com ela e tinha apenas 35 centavos no bolso.

– Não sei se o papai vai gostar do que eu fiz – ela disse.

– Ó Jesus, Ó Deus – rezei –, dai-me forças, dai-me coragem!

Ela foi me agarrando e me acariciando e apalpando durante toda a viagem até aquela pequena cidade do Texas. Chegamos às duas e meia da manhã e, quando descemos do ônibus, pensei ouvir o motorista dizer:

– Quem é aquele vagabundo que veio com você, Niki?

Estávamos na rua e eu disse:

– O que o motorista do ônibus falou? O que ele perguntou? – eu disse, agitando meus 35 centavos no bolso.

– Não disse nada. Venha comigo.

Ela subiu os degraus de um prédio no centro.

– Ei, para onde estamos indo?

Ela enfiou uma chave na porta e a porta se abriu. Olhei para cima e vi um letreiro cinzelado acima da porta que dizia: PREFEITURA MUNICIPAL.

Entramos.

– Quero ver se recebi alguma correspondência.

Ela entrou em seu escritório e olhou em uma escrivaninha.

– Porra! Nenhuma carta!!! Aposto que aquela cadela roubou minha correspondência!

– Que cadela? Que cadela, querida?

– Tenho uma inimiga. Olhe, me siga.

Seguimos pelo corredor e ela parou em frente a uma porta. Alcançou-me um grampo de cabelo.

– Aqui, tente abrir essa fechadura.

Fiquei ali tentando. Pude ver a manchete:

ESCRITOR FAMOSO E EX-PROSTITUTA DESCOBERTOS INVADINDO ESCRITÓRIO DO PREFEITO!

Eu não consegui abrir a fechadura.

Caminhamos até a casa dela, pulamos na cama e acabamos o que tínhamos começado no ônibus.

Eu já estava lá havia alguns dias, quando, certa manhã, a campainha tocou perto das nove horas. Estávamos na cama.

– Mas que porra é essa agora? – perguntei.

– Atenda à porta – ela disse.

Vesti algumas roupas e fui até a porta. Um anão estava parado lá e de tempos em tempos ele se sacudia todo, tinha algum tipo de doença. Usava um pequeno quepe de motorista.

– Sr. Chinaski?

– Sim?

– O sr. Dyer pediu-me que eu lhe mostrasse as terras.

– Espere um minuto.

Voltei para dentro.

– Querida, tem um anão lá fora e ele diz que um tal de sr. Dyer quer me mostrar as terras. É um anão e treme todo.

– Bem, vá *com* ele. É o meu pai.

– Quem? O anão?

– Não. O sr. Dyer.

Calcei meus sapatos e meias e saí porta afora.

– Ok, camarada – eu disse –, vamos lá.

Andamos de carro por toda a cidade até sairmos dos limites do município.

– O sr. Dyer é o dono daquilo ali – o anão apontava e eu olhava –, e o sr. Dyer também é o dono daquilo lá – e eu olhava.

Não disse nada.

– Todas aquelas fazendas – ele disse. – O sr. Dyer é o dono de todas aquelas fazendas e ele permite que os agricultores trabalhem na terra e depois divide os ganhos meio a meio com eles.

O anão dirigiu o carro até uma floresta verde. Ele apontou.

– Vê o lago?

– *Claro*.

– Há sete lagos cheios de peixes. Vê os perus caminhando por ali?

– *Claro*.

– São perus selvagens. O sr. Dyer aluga tudo isso para um clube de pesca esportiva que gerencia a propriedade. E, é claro, o sr. Dyer e seus amigos podem ir lá a hora que quiserem. Você caça ou pesca?

– Já cacei algumas vezes – eu lhe disse.

Continuamos andando de carro.

– O sr. Dyer frequentou aquela escola lá.

– Ah, é mesmo?

– É. Aquele prédio de tijolos. Agora ele comprou o prédio e o restaurou, transformando o lugar numa espécie de monumento.

– Surpreendente.

Fizemos o percurso de volta.

– Obrigado – eu lhe disse.

– Quer continuar amanhã de manhã? Há mais para ver.

– Não, obrigado, está tudo bem.

Entrei em casa novamente. Eu era o rei outra vez...

E é bom acabar aqui em vez de contar a vocês como perdi tudo, embora seja uma história que envolve um turco que usava um alfinete purpúreo na gravata e tinha bons modos e muita cultura. Eu não tinha nenhuma chance. Mas o turco também desapareceu e a última notícia que tive dela foi que andava pelo Alasca, casada com um esquimó. Ela me mandou uma foto de seu bebê e disse que ainda estava escrevendo e que era verdadeiramente feliz. Eu lhe respondi: "Aguente firme, querida, é um mundo muito louco".

E isso, como dizem, foi tudo.

Livros de Bukowski publicados pela **L&PM** EDITORES:

Ao sul de lugar nenhum: histórias da vida subterrânea
O amor é um cão dos diabos
Bukowski: 3 em 1 (*Mulheres*; *O capitão saiu para o almoço e os marinheiros tomaram conta do navio*; *Cartas na rua*)
O capitão saiu para o almoço e os marinheiros tomaram conta do navio (c/ ilustrações de Robert Crumb)
Cartas na rua
Crônica de um amor louco
Delírios cotidianos (c/ ilustrações de Matthias Schultheiss)
Escrever para não enlouquecer
Fabulário geral do delírio cotidiano
Factótum
Hollywood
Miscelânea septuagenária: contos e poemas
Misto-quente
A mulher mais linda da cidade e outras histórias
Mulheres
Notas de um velho safado
Numa fria
Pedaços de um caderno manchado de vinho
As pessoas parecem flores finalmente
Pulp
Queimando na água, afogando-se na chama
Sobre gatos
Sobre o amor
Textos autobiográficos (Editado por John Martin)
Você fica tão sozinho às vezes que até faz sentido

lepmeditores
www.lpm.com.br
o site que conta tudo

IMPRESSÃO:

PALLOTTI
GRÁFICA

Santa Maria - RS | Fone: (55) 3220.4500
www.graficapallotti.com.br